Татьяна Бочарова

ЧЕРНОЕ ОБЛАКО ДУШИ

Москва
2021

УДК 821.161.1-312.4
ББК 84(2Рос=Рус)6-44
Б86

Оформление серии *А. Дурасова*

Редактор серии *А. Антонова*

Бочарова, Татьяна Александровна.

Б86   Черное облако души : [роман] / Татьяна Бочарова. — Москва : Эксмо, 2021. — 320 с. — (Детектив сильных страстей. Романы Т. Бочаровой).

ISBN 978-5-04-118708-8

Надежда Сергеевна и Никита Кузьмич давно на пенсии. Дети разъехались, и жизнь проходит скучно и однообразно: дом, телевизор, дача. Супруги уже хотят завести собачку, чтобы она скрашивала серые будни, но в один прекрасный день в их дверь звонит веселая девчонка по имени Влада и объявляет старикам радостную новость: она не кто иная, как внучка Никиты Кузьмича! Когда-то давно у него в командировке был роман с некоей Марией, она родила дочь, а та в свою очередь — Владу. Поначалу старики ошарашены таким известием, но обаятельной девушке удается завоевать их доверие и стать настоящим светом в окошке. Однако эта идиллия продолжалась недолго...

УДК 821.161.1-312.4
ББК 84(2Рос=Рус)6-44

ISBN 978-5-04-118708-8

1.

«Я смотрю в окно и вижу окружающий мир, а вернее, его кусочек. Ровно столько, сколько позволяет пыльное оконное стекло. Вон слева высокая береза, ее ствол тянется далеко вверх, где-то там, на уровне самых последних этажей, ее крона, множество ветвей и листьев. Мне с первого этажа виден только ствол — могучий, круглый, покрытый серой корой с чёрными крапинами. Под этим стволом чего только не происходит: играют ребятишки, пьяницы распивают поллитровку, старушки-сплетницы обсуждают жильцов, собачки задирают лапу, справляя нужду.

Я люблю березу, точнее, ее основание. Люблю чахлый кустик жасмина напротив подъезда. Мне ужасно хочется полить его, чтобы он перестал сохнуть, расправил листочки, выпустил бутоны. Но, увы, я не могу этого сделать, как не могу пройти по тенистому дворику и выйти на дорогу, по которой мчатся автомобили. Я знаю, они не такие, как прежде, во времена моей юности. Тогда пределом мечтаний была «Волга», ну или «Чайка» — на ней ездили исключительно важные персоны. А теперь машин великое множество, одна другой красивей. Я вижу их на парковке, позади детской площадки. Там стоят разноцветные, блестящие новенькие автомобили и терпеливо дожидаются своих хозяев. А мне ужасно хочется взглянуть, как они несутся по шоссе — стремительно, как птицы, мелькая колёсами, сверкая огоньками.

Но до шоссе далеко — много-много шагов, а я не могу сделать ни одного. Поэтому мне остаётся лишь сидеть у окна и мечтать, что однажды случится чудо и я буду ходить. Смогу самостоятельно выйти во двор и полюбоваться на крону берёзы, полить увядающий жасмин, дойти до дороги. Ведь никто не может запретить человеку мечтать!

Иногда, впрочем, бывает праздник и на моей улице. Дверь комнаты раскрывается, и на пороге возникает Галка. У неё смеющиеся глаза, красные щеки и крутые завитки волос надо лбом. В руках она неизменно держит связку бананов — золотистых, перезрелых, с чёрными крапинками. Галка почему-то считает, что есть можно только такие бананы, чуть подгнившие, а чистые — значит неспелые. Галка кладёт бананы на стол, вывозит из коридора старенькую коляску, сажает меня в неё, и мы едем вниз. Колёса весело поскрипывают. Пандусов в нашем доме нет, и Галка аккуратно перемещает коляску со мной со ступеньки на ступеньку. Всего их пять, и ура — мы на улице.

Дует тёплый ветерок, наполняя кислородом мои скукожившиеся лёгкие. Вокруг целое море звуков и запахов. Я задираю голову и вижу листья берёзы. Они шумят на ветру, колышутся, о чем-то шепчутся друг с другом. Галка весело щебечет, рассказывая о том, что было сегодня в школе. Я стараюсь слушать ее, но у меня получается с трудом. Я жадно и ненасытно впитываю окружающий меня мир — не его клочок, а целый мир, без границ. Я знаю, следующий раз наступит не скоро. А зимой и вовсе ничего этого не будет: много снега, холодно. Галка не может одевать меня и толкать коляску по сугробам. Остаётся ждать весны.

Но я не унываю. Я сижу у окна и вяжу варежки, носки, шарфики и свитера. Иногда забавные игрушки — зайчиков, мишек, слонят. Мелькают спицы, вытягивая петельки — раз-два, раз-два. Клубок, лежащий на подоконнике, крутится и уменьшается. А за окном идёт жизнь — то дождь, то снег, то листопад. Не успеешь оглянуться — а она уже подходит к концу… Раз-два, раз-два, две лицевых и изнаночная…»

2.

Никита Кузьмич с утра был не в духе. Ночью во сне он так неудачно повернулся, что у него прострелило бок. С трудом поднявшись с постели, он, кряхтя, прошаркал в ванную, умылся холодной водой и с отвращением заглянул в зеркало. Ну и рожа! Под глазами морщины, седые волосы всклокочены, в глазах застыло выражение адской скуки.

В дверь постучали.

— Никитка, ты что там, уснул? — крикнула Надежда Сергеевна. — Завтрак готов.

— Иду, — ворчливо ответил Никита Кузьмич и снова покосился на своё отражение. Он покачал головой, смачно плюнул и, повесив полотенце на крючок, вышел в коридор.

В кухне было тепло и уютно, вкусно пахло сырниками. Никита Кузьмич, охая и стеная, с превеликим трудом опустился на табурет, покрытый цветастой подушкой.

— Что с тобой? — ласково спросила Надежда Сергеевна, ставя перед ним тарелку, на которой в сметане лежали румяные, поджаристые сырники, ровно пять штук.

— Да спину потянул, будь она неладна, — пожаловался Никита Кузьмич. — Ни повернуться, ни вздохнуть.

— Ах ты, болезный мой, — сочувственно произнесла Надежда Сергеевна. — Ну покушай, а я после разотру тебя пчелиным ядом. Кушай, кушай. — Она присела напротив, с пристрастием глядя на мужа.

Никита Кузьмич вздохнул и взялся за вилку. Есть ему совсем не хотелось, но, если отказаться, Надя станет переживать. У неё ведь единственная радость — целый день торчать у плиты. Готовит как в ресторане: то мясо по-французски, то курица по-польски, то торт испечёт, да такой, что язык можно проглотить. Одна беда — без надобности это все Никите Кузьмичу. Он с юности привык питаться просто и ограниченно, потому и фигура к старости такая, какой и у многих сорокалетних нет — плоский живот, поджарые бедра, ни грамма лишнего жира. Он бы вполне удовлетворился гречкой на завтрак и борщом на обед, а ужин традиционно отдал бы врагу. Но нет — тут тебе и сырники, и ватрушки, и плюшки, и прочая фигня, от которой слабеют мышцы, кости и ткани становятся рыхлыми, и вот уже тянет бок, шею, крестец...

— Батюшка, ты что не кушаешь? — Надежда Сергеевна смотрела на него с укоризной. Позади неё на подоконнике так же укоризненно раскинул колючие ростки столетник, словно руками развёл в негодовании.

— Я ем, матушка. — Никита с досадой обмакнул сырник в сметану и отправил его в рот, затем другой. — Все. Сыт. Благодарствую.

— Да как же сыт, когда ещё полная тарелка? — расстроилась Надежда Сергеевна. — Ну хоть ещё один!

— Нет, — твёрдо произнёс Никита Кузьмич. — Лучше чаю мне налей.

Надежда Сергеевна послушно поднялась, налила в красивый голубой бокал кипятку, кинула туда пакет с заваркой.

— Лимончик положить?

— Положи.

После завтрака Надежда Сергеевна тщательно растерла спину и бока Никиты Кузьмича мазью с пчелиным ядом, затем закутала его своей шерстяной шалью и велела полежать пару часов. Никита Кузьмич лежал на диване с видом мученика, смотрел нудную передачу по телевизору, и ему было отчаянно скучно. Наконец он решительно щёлкнул пультом и крикнул:

— Надюша!

— Что, папулечка? — ласково отозвалась та и заглянула в комнату. Руки у неё были по локоть в муке.

— Опять плюшки? — Никита Кузьмич нахмурил седые кустистые брови. — Заканчивай ты с этим, мать. Сколько, ей-богу, можно!

— Да что ещё делать, Никитушка? — растерянно произнесла Надежда Сергеевна. — Все какой-то интерес.

— Глупости это, а не интерес, — буркнул Никита Кузьмич. — Давай, что ли, на дачу завтра поедем?

— Так как поедем, батюшка, если ты нездоров? — Надежда Сергеевна всплеснула руками. — А ну как окончательно надорвёшься? Не ровен час, в больницу загремишь.

— Не надорвусь. — Никита Кузьмич решительно сел и тут же скорчился от боли.

Надежда Сергеевна бросилась к нему.

— Вот видишь! Разве можно? Тебе покой нужен и тепло. А я завтра доктору позвоню, Андрей Иванычу. Пусть приедет, поглядит тебя.

— К черту доктора, — Никита осторожно спустил ноги с дивана. — Ай! Черт бы побрал этот бок. Уй-уй-уй. — Кряхтя и охая, он побрел в кухню. Достал с полки бутылку коньяку, плеснул в рюмку, с шумом втянул носом воздух и выпил залпом.

— Зря ты, Никитушка, — неуверенно проговорила Надежда Сергеевна, входя за ним следом. — Зря. Давление подскочит.

— Да хоть и подскочит, — сердито огрызнулся Никита Кузьмич. — Надоело трястись над собой, как над писаной торбой. Скажи лучше, Колька звонил сегодня?

— Звонил. — Надежда Сергеевна опустила голову.

— Врешь ведь. — Он налил ещё стопку.

— Не вру, звонил он. Правда, не сегодня — позавчера.

— Позавчера... — Никита Кузьмич залпом выпил. — Праздник на нашей улице.

— Зря ты так. — Надежда Сергеевна вздохнула и принялась с остервенением месить тесто. — Зря.

— Не зря, и ты это не хуже меня понимаешь.

— Просто ему некогда, Коленьке. Сам знаешь, работа у него. Дела.

— Но позвонить-то матери можно? — Никита Кузьмич подошёл к жене и осторожно положил руку ей на плечо. — Разве для этого много времени нужно?

— Не нужно, — прошептала Надежда Сергеевна. — Да ты не злись на него, батюшка. Завтра, даст бог, на дачу поедем. Костерок зажжем, я колбаски пожарю. Чего тебе Коля? У него своя жизнь, у нас своя.

— У него своя, у Алки своя. Мы детей своих раз в полгода видим. И слышим примерно так же.

Никита Кузьмич отнюдь не сгущал краски. Дочь Алла сразу после института укатила в Германию на стажировку, благо у отца были на это средства. Там она и осела: устроилась на хорошую работу, вышла замуж за немца и родила сына, которого назвала Рудольф, что для русского уха звучало слишком похоже на Адольф, а потому вызывало высшую степень неприязни и отторжения. Приезжала она в Москву редко, раз в год, правда, исправно звонила по скайпу, но разговоры эти как-то не клеились, были скучными и натянутыми.

Сын же Николай жил совсем рядом, в соседнем районе. Он рано женился, наплодил двоих детей и тут же развёлся. Невестка с бывшими свекрами отношения не поддерживала, внуков им не привозила. Сам же Колька вёл привольный образ жизни — менял баб, как перчатки, ездил на горнолыжные курорты, тусовался по клубам. Престарелых родителей вниманием не баловал, а если и заявлялся в гости, то в основном за материальной помощью. Никита Кузьмич на детей сердился, но все равно любил их и в глубине души надеялся, что когда-нибудь все изменится и семья вновь воссоединится...

Надежда Сергеева вздохнула и ласково потрепала мужа по волосам.

— У всех так, Никитушка, — постаралась утешить она его. — Они же знают, что мы вместе, вдвоём, нам не скучно.

— Скучно! — Никита Кузьмич рубанул ладонью по столу так, что тазик с тестом подпрыгнул и съехал в сторону. — Скучно нам! Приехали бы в гости! Съели бы твои плюшки! Посидели бы, чайку попили, а потом погуляли.

— Не кипятись, дружочек. — Надежда Сергеевна ласково погладила его по щеке. — На что они тебе? Вырастили, выучили, и слава богу. Давай вот я тебе картошечки горячей с маслицем положу? Давай?

— Ну давай. — Никита Кузьмич обречённо опустился на стул.

3.

Назавтра ему стало легче настолько, что он без труда сел за руль своего старенького «Шевроле» и покатил с Надеждой Сергеевной на дачу.

Супруги Авдеевы всегда жили в достатке. Никита Кузьмич до пенсии занимал высокий пост директора ликероводочного завода. Большая часть его карьеры пришлась на советское время. Ни супруга его, ни дети ни в чем не знали отказа. Все блага той эпохи — кооперативная трехкомнатная квартира, фирменная заграничная одежда, продукты, бывшие для обычных людей дефицитом, а ещё новенькая «Волга» и фундаментальный кирпичный дом-дача — были доступны их семейству. Они ежегодно ездили к морю, отдыхали в элитных подмосковных санаториях, лечились на водах.

Никита Кузьмич характер имел крутой, но, несмотря на это, был любимцем у подчинённых. Жесткий, хваткий, деловой, он обладал всеми качествами прирожденного руководителя. Именно они помогли ему в 90-е удержаться на плаву. Его завод не закрылся, подобно сотням других, перестроился, нашёл каналы сбыта, отыскал поставщиков и стал процветать. Никите Кузьмичу в ту пору шёл шестой десяток. Он был здоров как бык, мотался по командировкам, помогал выросшим детям материально. А в свободное время достраивал дачку, перекраивая ее на современный лад: сделал там и гостиную с камином, и бассейн, и зону барбекю, и даже маленькое футбольное поле, на котором гости могли погонять мяч.

Все бы и дальше шло отлично, если бы не грянул гром среди ясного неба: случился у Никиты инфаркт — неожиданно, подло, коварно, когда ничто не предвещало беды. Сидел за столом, вёл совещание и внезапно почувствовал острую боль в груди, затошнило, зазеленело перед глазами. Никита Кузьмич скрипнул зубами: «Продержаться бы ещё минут пять, закончим, и к доктору». Но

продержаться не удалось — кабинет вдруг погло-
тили сумерки, а потом наступила полная тишина.
Очнулся Никита в реанимации, рядом сидели за-
плаканная Надежда Сергеевна и дети. Поначалу
он не понимал, насколько все серьезно, все норовил встать с кровати: за завод беспокоился, там
как раз выгодный контракт назревал, нужно было
не зевать. Но врач — пожилой, седой профессор-
кардиолог — все ему быстренько объяснил: мол,
все важные дела закончились, теперь только кушать, спать да гулять во дворе, а не то следующий
контракт не в этом мире придётся подписывать.

Для Никиты Авдеева это стало ударом. Сильный, крепкий мужчина, надежда и опора семьи,
любимец женщин, он в одночасье превратился в
инвалида, боящегося сделать лишнее движение.
Да что там движение — и дышать-то глубоко поначалу было страшно! Надежда Сергеевна после вы-
писки квохтала над ним, как наседка: не разреша-
ла вставать, носила еду в постель, кутала в шарфы
и свитера, пичкала лечебными травами. А Никита
медленно умирал. Нет, не от сердца — его врачи
починили, а от невостребованности и непривыч-
ного безделья. Никогда не сидевший дома, он без-
мерно тяготился пребыванием в четырёх стенах,
требовал телефон, пытался звонить на работу, да-
вать указания. Но бедное заштопанное сердце не
хотело больше трудиться: болело, щемило, кололо
и норовило остановиться. Одна за другой приезжали «Скорые», делали уколы, кардиограммы.

Надежда Сергеевна отключила телефоны и увезла мужа в санаторий — надолго, на три месяца. Там, гуляя по лесным дорожкам, купаясь в серной ванне и попивая вечерний кефир, он немного успокоился и смирился. Перестал дёргаться, начал смотреть телевизор, читать книги, словом, вошёл в ритм жизни пенсионера.

Надо отдать должное Надежде Сергеевне — она целый год выхаживала мужа. Сделала все возможное, чтобы смертельная опасность, нависшая над ним, миновала. Через год тот же седой профессор осмотрел Никиту и удовлетворенно покивал:

— Все хорошо, дорогой мой. Сердце ваше в полном порядке. Можете прибавить активности. Займитесь ходьбой, плаванием.

— А на работу? — робко спросил Никита Кузьмич. — Можно на работу выйти? Хотя бы не на полный день.

Врач насупил густые брови:

— О работе даже не думайте! Живите, как все с вашим диагнозом. И скажите спасибо супруге...

Так и пошло. Надежда Сергеевна вскоре тоже уволилась и засела дома, ухаживать за мужем. В деньгах они не нуждались: за жизнь удалось скопить приличную сумму, которая теперь лежала в банке и давала неплохие проценты. Супруги путешествовали, ездили на дачу, иногда принимали у себя друзей. Вот только с внуками не сложилось. Надежда Сергеевна относилась к этому философски, а Никита Кузьмич обижался. Он так и не притерпелся к роли пенсионера, жизнь казалась ему пустой и скучной, пресной, как бессолевая диета. И даже поездки на дачу не сильно радовали.

Надежда Сергеевна, напротив, фазенду любила. Развела всякие цветочки-ягодки, хлопотала на грядках, делала заготовки. Вот и в этот раз она с увлечением орудовала секатором, отрезая засохшие ветки разросшегося у беседки шиповника. А Никита Кузьмич сидел в удобном кресле-качалке на веранде и с грустью смотрел на увитый девичьим виноградом забор. Он вспоминал молодость. Как было здорово — каждый день, как бой, кипучий, огневой, полный стрессов и побед! Эх, где теперь его адреналин? Куда делся? Собаку, что ли, завести, как посоветовал недавно близкий друг. «Заведи пса, Кузьмич, большого, серьезного. Будешь его любить, а он тебя. Глядишь, и депрессия отступит. Собаки, они лучше людей, поверь». Никита Кузьмич представил, как у его ног лежит огромный чёрный дог, с блестящей шерстью и умными глазами-бусинами. Можно назвать его как-нибудь аристократично — Байрон, например. Или Лорд...

— Никитка, иди, помоги мне костёр разжечь! — крикнула Надежда Сергеевна,

Никита поднялся и пошёл разводить огонь. Потом они сидели за уютным плетёным столиком, ели поджаристые колбаски и печёную картошку, пили душистый чай с листьями смородины. Никита Кузьмич все думал про собаку.

— А что, Надюш, если нам пса завести? — спросил он у жены.

— Пса? — Она поставила чашку и с удивлением взглянула на него. — Какого? У Тони вот йорк живет, миленький такой. Может, его?

— Да ну твою Тоню, — сердито отмахнулся Никита. — Йорк разве собака? Тьфу, одно название. Я настоящего пса хочу. Дога, например. Или ротвейлера.

— Ох, батюшка, это сколько ж мяса ему нужно! А грязи-то будет, наверное. — Надежда Сергеевна сокрушенно помотала головой. Затея мужа ей явно была не по душе.

— Ну как знаешь, — обиделся Никита. Однако он знал, что жена в конечном счете с ним согласится. Так оно и вышло.

— Да я что, я разве против? — засуетилась Надежда Сергеевна. — Хочешь дога, давай дога. Только где ж мы его возьмём?

— Я Сашке Куролесову позвоню, он нам щенка привезёт. Даже нескольких, на выбор.

Сашка Куролесов был давнишним другом Никиты Кузьмича, одним из тех немногих, которые не исчезли после того, как он отстранился от дел. Несмотря на разницу в возрасте — Куролесов значительно моложе, — они всегда находили общий язык. Сашка был счастливо женат, имел двоих несовершеннолетних детей, трудился на заводе в должности начальника одного из цехов и вот уже несколько лет занимался в качестве хобби собаководством.

— Как скажешь, папочка, — покладисто согласилась Надежда Сергеевна и принялась собирать со стола грязную посуду.

4.

Сказано — сделано: в тот же вечер Никита позвонил Куролесову. Договорились, что назавтра в шесть тот подъедет с тремя щенками. Надежда Сергеевна по этому поводу испекла пирог с луком и налепила вареников.

С самого утра Никита Кузьмич пребывал в приподнятом настроении. Он устроил в углу в гостиной лежанку для щенка, заказал в Интернете поводок, корм и прочие атрибуты собачьего быта. Без пяти шесть раздался звонок в дверь.

— Приехал! — радостно провозгласил Никита Кузьмич и собственной персоной отправился в прихожую открывать.

Щелкнул замок. Никита распахнул дверь и замер в удивлении: перед ним стояла незнакомая, совсем юная девушка довольно высокого роста. Одета она была в длинное, до пят, джинсовое платье с цветными вставками и крошечную кожаную курточку. За плечами висел большой холщовый рюкзак. На свежем розовом личике весело поблескивали зеленые глаза. Но главное — ее волосы! Невероятная кудрявая грива ярко-рыжего цвета. Никите показалось, что он попал в детский мультфильм, настолько нереальной и сказочной была стоящая перед ним незнакомка.

— Вы к кому? — в недоумении уставился он на девушку.

— Мне нужен Никита Кузьмич Авдеев. — Голос у нее был дивной красоты — грудной, мелодичный, словно окутывающий мягкой вуалью.

— Это я. — Никита окинул девицу ещё более удивлённым взглядом. — Что вы хотели?

— Можно я войду? — довольно бесцеремонно поинтересовалась рыжая.

— Ну... входите, — растерянно пробормотал Никита Кузьмич и отодвинулся в сторону, впуская незваную гостью в прихожую.

— Никит, вы что в коридоре... — Надежда Сергеевна вышла из кухни и осеклась. — Это кто?

— Я сейчас вам все объясню. — Рыжая захлопнула дверь, быстро скинула матерчатые кеды и осталась стоять посреди прихожей в полосатых красно-желтых носках. — Вы только не пугайтесь. — Она взглянула на Надежду Сергеевну и сняла рюкзак.

— Что такое? В каком смысле не пугайтесь? — та слегка побледнела и на всякий случай взяла мужа за локоть.

— В прямом. То, что я скажу, возможно... будет не слишком приятно для вас.

— Да говорите же, черт возьми! — вскипел Никита Кузьмич. — Быстрее, или я выставлю вас вон.

— Дело в том, что я... я — ваша внучка! — Рыжая выпалила это одним махом, словно в воду нырнула.

— Кто?? — хором воскликнули Никита Кузьмич и Надежда Сергеевна.

— Внучка, — спокойно повторила девица. — Никита Кузьмич мой дедушка.

— Да что ты врешь, бесстыдница! — Надежда Сергеевна схватилась за сердце. — Ступай отсюда с богом. Никита, выдвори ее.

— Погодите. — Рыжая сделала протестующий жест рукой и полезла в рюкзак. — Вот. — Она протянула супругам какой-то листок, при рассмотрении оказавшийся бланком свидетельства о рождении, весьма потертым и помятым. — Видите, Свиристелкина Влада Леонардовна. Это я. А моя мать — Свиристелкина Анна Петровна.

— Ну и что? — угрюмо спросил Никита Кузьмич. — Какое это имеет ко мне отношение?

— Самое прямое. Моя мать не была замужем. Свиристелкина — ее девичья фамилия, и тоже по матери. Вы ведь помните Марию Свиристелкину? Помните? Вы были в командировке, в М. И у вас... — Она не договорила и, покосившись на Надежду Сергеевну, многозначительно хмыкнула.

Та, выпустив локоть Никиты Кузьмича, отступила на шаг и уперла руки в боки. Вид ее не предвещал ничего хорошего.

— Никит, что она несёт, эта вертихвостка? Какая ещё Свиристелкина?

Никита Кузьмич молчал, мрачно разглядывая тапочки.

— Вы должны ее помнить — Мария Свиристелкина. Она была пианисткой, играла на рояле в ресторане. Она любила вас. Когда вы уехали, у неё родилась дочь, Аня. Это моя мать. Ее уже два года как нет на свете. А бабушка умерла совсем недавно, месяц назад. Она всю жизнь рассказывала мне о вас. Так получилось, что в нашей семье не было мужчин. Мать росла без отца, я тоже. И вот мне захотелось исправить это. — Рыжая наконец умолкла и вопросительно уставилась на Никиту. Тот почувствовал, как багровеют кончики ушей.

— Так, — грозно проговорила Надежда Сергеевна. — Вот что, «внученька»! Шла бы ты отсюда подобру-поздорову. А нет — так я полицию вызову в два счета. Думаешь, мы старые, совсем из ума выжили? Мало ли вас тут ходит таких родственничков, объегоривают доверчивых пенсионеров. Ступай, тебе говорят, по-хорошему.

— Я не собираюсь вас объегоривать, — спокойно произнесла девушка. — Просто хотела взглянуть на деда. Бабушка про него столько хорошего рассказывала…

— Да замолчи ты! — не сдержавшись, крикнула Надежда Сергеевна. — Какой он тебе дед! Уезжай себе в М. и не суйся сюда больше.

— Надя, послушай, — неуверенно произнёс Никита Кузьмич, — погоди. Ну что ты так сразу…

— Я? А ты что? Хочешь сказать, что она правду говорит? Про Свиристелкину? — тут же пошла в атаку Надежда Сергеевна. Никита понял, что лучше с ней сейчас не спорить, да и самому было неловко и стыдно.

...Вишь ты, откуда прилетело, откликнулось. Мария Свиристелкина, Маша. Помнил ли он ее? Да, разумеется, как не помнить. Давно это было, ох, давно. Лет за пятнадцать до инфаркта треклятого. Был Никита в очередной командировке, в городе М. Прорабатывал хороший контракт, жил в лучшей гостинице, обедал в ресторанчике при отеле. Там и встретил Машу — она по вечерам на рояле играла, развлекала публику. Вся такая неземная, худенькая, в блестящем платье до пола, с длинными, как у русалки, волосами. Никита, словно заворожённый, часами глядел на ее пальцы, порхающие по клавишам. Наконец не выдержал, встал и подошёл к роялю.

— Скажите, вы замужем?

Она, не переставая играть, удивлённо подглядела на него. Глаза у неё были неопределённого, дымчатого цвета, как ночь, полная любви.

— Нет. А почему вы спрашиваете?

— Спрашиваю, значит, нужно. — Никита почувствовал, как его переполняют радость и молодой, отчаянный задор.

В командировках у него не раз бывали романы, мимолетные, быстрые и красивые. Никита любил женщин, и не какой-то определенный тип, а разных — блондинок, брюнеток, шатенок, стройных и полненьких. Главное, чтобы были сговорчивые и весёлые, не доставали потом звонками и письмами. Однако сейчас с ним происходило что-то совсем другое. Сердце отчаянно стучало в груди, к лицу прилила кровь.

— Когда вы освобождаетесь? — спросил он у девушки, и не узнал своего голоса, охрипшего и прерывистого.

— Не скоро, — просто сказала она, — ресторан до одиннадцати, а сейчас только девять.

— Ничего. Я подожду. — Он осторожно дотронулся до ее волос и тут же отдернул руку, точно она могла от прикосновения растаять и исчезнуть. — Я буду ждать, — повторил он тверже и пошёл, не оглядываясь, к своему столику.

Он пил коньяк и слушал звуки рояля. Ему казалось, она играет для него одного, столько нежности и страсти было в этих звуках, столько силы в хрупких пальчиках. То ли от избытка алкоголя, то ли отчего-то ещё, неведомого прежде, на глаза Никиты навернулись слёзы...

Он дождался одиннадцати и увёл ее в лунную осеннюю ночь, накинув ей на плечики дешевое пальтишко. Она не сопротивлялась, не спорила. Сказала только: «В номер не пойду, увидят, уволят с работы». Молча села в такси, послушно назвала адрес, так же молча вышла у подъезда старенького трехэтажного дома. Ее квартирка оказалась скромной, чистенькой и такой крошечной, что у

Никиты снова сжалось сердце от щемящей нежности.

— Как тебя зовут?

— Маша. А вас?

— Никита... Никита Кузьмич. — Он сам не знал, зачем прибавил отчество.

Глупо. Глупо и совестно. А сердце продолжало колотиться, нашептывая: «Вот, вот оно, счастье. Настоящее, то, о котором мечтает каждый. Счастье мое, с дымчатыми глазами». Он робко обнял ее. Она на мгновение прижалась к нему, доверчиво, всем телом, потом слегка отстранилась.

— Вы женаты?

Обычно Никита никогда не врал. Зачем? Надю он любил и никогда бы не бросил. Он предпочитал сразу расставить точки над «и»: семья — это одно, а мимолетный роман — совсем другое. Но сейчас слова застряли у него в горле. Глядя в ее бездонные, манящие глаза, он молчал, сглатывая невесть откуда взявшуюся слюну. Она смотрела на него с ожиданием, и он наконец мотнул головой:

— Нет. В разводе.

— Неправда, — тихо шепнула она. — Я не верю вам. Впрочем... это не важно. По крайней мере сейчас. — Она положила руки ему на плечи.

Все вокруг задрожало и начало уплывать. В ушах звучала музыка из ресторана, превращая реальность в сказочный, волшебный сон...

Никита очнулся от воспоминаний и пристально поглядел на рыжую гостью, застывшую посреди прихожей. Ничего схожего с Машей, ни одной черточки. И лицо, и фигура — все другое. Та была хрупкая, нереальная, как беззвездная, призрачная ночь. А девушка, стоящая сейчас перед ним, выглядела солнечной, спелой и сочной, как свежий апельсин. Никита Кузьмич почувствовал, как на плечи давит каменная глыба, тяжело, страшно. Нет сил на дурацкие воспоминания. И Надя не поймёт.

— Супруга права, — тихо, но спокойно проговорила он, глядя прямо в зелёные глаза девицы. — Вам лучше уйти. Я... я не знаю никакой Марии Свиристелкиной. Ступайте.

— Жаль. — Рыжая тряхнула кудрями. — Я думала, мы подружимся. Что ж, прощайте. — Она молча обула свои кеды.

Хлопнула дверь. Никита Кузьмич и Надежда Сергеевна остались стоять посреди прихожей, растерянно глядя друг на друга. Первая нарушила молчание жена.

— Вот ведь мошенников развелось. — Она приблизилась к мужу и ласково обняла его за плечи. — Пойдем, Никитушка. Тут дует из-за двери. Как бы снова радикулит не разыгрался.

Она увела Никиту в комнату. Он сумрачно молчал, погруженный в свои мысли. Через пятнадцать минут приехал верный Куролесов и привёз трёх забавных щенков. Надежда Сергеевна восторженно ахала, сновала из кухни в комнату и обратно, носила блюдечки с кормом и водой, то и дело дергая мужа за локоть:

— Никитка, смотри, какие милые! Хоть всех троих оставляй. Нет, ну до чего хороши!

Никита Сергеевич ожил, заулыбался. Неприятный эпизод из прошлого слегка поблек и перестал его нервировать. Сашка терпеливо ждал, пока супруги натешатся и выберут наконец щенка. Часа через два жарких споров, вздохов и охов, решили остановиться на старшем из трёх, мальчике, чёрном, с белой грудкой. У него были умные и живые глаза-бусинки, он смешно и тоненько тявкал, когда его гладили по блестящей гладкой шёрстке.

— Имя придумали? — спросил у стариков Сашка.

Никита Кузьмич скептически взглянул на щенка. Ни Лорд, ни Байрон ему совершенно не подходили — вид у малыша был далек от аристократического.

— Мамашка у него из настоящих, породистая, — сказал Сашка и потрепал щенка по загривку, — а вот отец подкачал, так что паспорта у него нет. Мать звали Шейлой.

— А он пусть будет... пусть будет Шоколад! — вдруг выпалила Надежда Сергеевна.

— Шоколад? — Куролесов с удивлением поглядел на неё, затем на щенка. Тот доверчиво взвизгнул. — А что? Идея. Ему идёт.

— Верно. — Никита Кузьмич улыбнулся. — Он правда как шоколад. Темный шоколад с молочным пятнышком. Умница, Надюша, и как это тебе в голову пришло!

Надежда Сергеевна скромно потупила глаза, но вид у неё был чрезвычайно довольный. Куролесов засобирался домой и стал прощаться.

— Если что, звоните, я всегда на связи. Подскажу, как быть.

— Уж подскажи, дорогой, — поддакнула Надежда Сергеевна. — А то, не ровен час, вдруг захворает маленький или животик прихватит? Это ж как настоящий ребёнок.

— Не бойтесь, они живучие. И прививки у него уже есть нужные. Так что главное, правильно кормить и гулять с ним два раза в день. — С этими словами Куролесов забрал двух других щенков и скрылся за дверью.

Надежда Сергеевна с умилением глядела на приобретённого питомца.

— Ты мой хороший! Шоколадка! Лапочка.

Щенок тихо и счастливо повизгивал и норовил тяпнуть ее за палец.

— Пойду, прогуляюсь с ним, — решил Никита Кузьмич. — Не то лужу нам тут напрудит. Надя, неси поводок.

На щенка надели ошейник с поводком, которые предусмотрительно принёс Куролесов, а также купленный заранее красивый красный комбинезон, чтобы он не замёрз. Никита Кузьмич взял щенка под мышку и вышел на лестничную площадку.

— Смотри, недолго, — крикнула ему вслед Надежда Сергеевна, — не то замёрзнет.

Никита кивнул и зашагал вниз по лестнице со своего второго этажа.

На дворе сгущались осенние сумерки. Слышался звон трамвая, смех детворы и лай — собачники один за другим выходили на прогулку. Никита Кузьмич огляделся по сторонам — нет ли рядом какого-нибудь злобного пса — и осторожно спустил Шоколада на землю. Тот сразу же ринулся в сторону и повис на поводке.

— Тихо ты, тихо, ну куда ж ты, дурачок, — ласково пожурил его Никита Кузьмич. — Ну что, куда пойдём? Давай на бульвар. — Он легонько потянул поводок, и щенок неожиданно послушно затрусил рядом.

— Какой хорошенький! — раздался из темноты мелодичный голос.

Никита вздрогнул и остановился:

— Ты?

— Я. — Рыжая стояла перед ним, белозубо улыбаясь.

— Зачем ты тут? Тебе же сказали, все бесполезно. — Никита Кузьмич хотел пройти мимо, но что-то заставляло его остановиться. Щенок нетерпеливо взвизгнул.

— Мне некуда идти, — просто проговорила девушка. — И денег нет на хостел. Я... я думала, вы меня приютите. Хотя бы на пару ночей.

— С какой это стати? Почему мы должны пускать в дом постороннего человека?

— Но я же не посторонняя. Я ваша внучка! Вы ведь любили Марию. Сильно любили.

Никита Кузьмич вытер со лба внезапно выступивший пот.

— Любил…

— Ну вот. — Рыжеволосая снова улыбнулась, отчего на щеках у неё образовались симпатичные ямочки.

— Вот что. — Никита Кузьмич слегка подергал поводок. — Пошли, прогуляешься с нами. Расскажешь о себе.

— С удовольствием! — обрадовалась девушка.

Они перешли дорогу и не спеша двинулись по бульвару.

— Я забыл, как тебя зовут.

— Влада.

— Странное имя. Я думал, такое только мужчинам дают.

— Не только. Мне оно нравится.

— Ну хорошо. Положим, ты и правда моя внучка. Зачем тебе Москва? Что ты будешь здесь делать?

— Я буду петь.

— Что? — Никита замедлил шаг. — Петь?

— Да. Я хочу стать джазовой певицей. Поступить в колледж на Ордынке, окончить его и выступать со своей группой. Стану известной, заработаю много денег. Позабочусь о вас.

— Ой-ой, позаботится она. — Никита Кузьмич скривил ехидную мину. — Да с чего ты решила, что можешь петь? Ордынка — это серьёзное заведение, туда сложно поступить.

— А вы откуда знаете? — удивилась Влада.

— Знаю. Я в молодости сам джазом увлекался. На гитаре играл, даже хотел учиться профессионально, так что все про эту сферу знаю. К тому же обучение платное, стоит недёшево.

— Вот об этом я и хотела поговорить, — спокойно произнесла Влада. — Мне нужны деньги, много. И крыша над головой. Не бойтесь, я вас не объем. Я уже нашла место, где можно подработать. На Арбате в переходе группа уличная поёт, там солистка нужна. Обещали взять, так что заработок будет. Но не такой, как мне нужно.

Никита Кузьмич слушал и недоумевал. Неужели можно быть такой наглой и самоуверенной? Припереться в столицу из тьмутаракани, к фактически чужому человеку и рассчитывать, что он станет тратить на неё бабки?

— Ты это серьезно? — спросил он Владу.

— Серьезней некуда. Семестр уже начался. Дополнительный набор на внебюджет в конце сентября. Если пройду, сразу деньги понадобятся.

— А с чего ты решила, что у меня есть такие деньги?

— Ну дед, не забывай, сейчас время Интернета. Я, прежде чем ехать, немного пошукала в сетях, знаю, кто ты таков, как живешь.

Никиту Кузьмича кольнуло слово «дед» и обращение на «ты».

31

— Никакой я тебе не дед! И не смей «ты-кать». Ты мне чужая, слышишь, чужая! Я вообще зря с тобой разговариваю. Правильно Надя сказала, надо было полицию вызвать.

— Ну так вызывайте. — Влада остановилась и скрестила руки на груди. — Давайте, звоните! Сдайте меня ментам. Я — вот она, не убегу.

Никите стало стыдно. Перед глазами снова возникла Маша, их последняя ночь в ее крохотной квартирке. Они лежали, тесно обнявшись, на старенькой скрипучей тахте. Он физически ощущал, как бежит время — минута за минутой, час за часом. А впереди утро и поезд в Москву. Нужно было принять решение. Если он уедет, то уже никогда больше не вернётся в М. Ездить туда-сюда, обманывать обеих, и жену, и Машу — нет, на такое он не способен. Стало быть, два варианта — либо уехать отсюда бесповоротно, либо так же бесповоротно остаться и круто изменить свою жизнь. Настолько круто, что круче не бывает.

Маша тихо прижималась к его боку, ее нежные пальчики гладили его лоб, ерошили волосы. Она ничего не говорила, ни о чем не спрашивала, но Никита знал, что она ждёт, и внутри у неё все сжимается от боли и страха. Однако он не мог решиться.

За окном стало белеть. Никита глубоко вздохнул и обнял Машу, с силой прижал к себе. В горле у него застыл спазм. Она все поняла. Замерла у него в объятиях, словно превратившись в безмолвную птичку, и от этого — от ее безропотности, покорности — ему было ещё горше. Лучше бы она кричала, плакала, расцарапала ему физиономию. Но нет, она целовала его все с той же нежностью, и даже в ее дымчатых глазах не было ни слезинки...

— Почему она не написала мне? — хрипло спросил Никита.

— Кто не написал? — не поняла Влада.

— Маша. Почему не сообщила, что ждёт ребёнка?

Она пожала плечами.

— Откуда мне знать? Может, не хотела, из гордости. А может, не знала, куда писать. Ты разве дал ей адрес?

Никита грустно покачал головой.

— Не дал.

— Вот видишь, а спрашиваешь. Да если бы она и написала, разве ты бы приехал? Что-то бы изменилось?

— Не знаю. Возможно. А впрочем... нет... не надо об этом. Тебе все равно не понять.

— Куда мне, — с легкой иронией проговорила Влада, подумала чуть-чуть и взяла Никиту за руку. От ее прикосновения ему вдруг стало тепло и спокойно. — Давай не будем ссориться. Если тебе неприятно, я могу не называть тебя дедом и говорить «вы».

— Да ладно, зови как хочешь, — вздохнув, сдался Никита Кузьмич. В это время Шоколад громко затявкал на проходящую мимо таксу, до предела натянув поводок. — Фу, Шоколад! Тихо! Фу! — Никита вернул щенка обратно к ноге.

— Шоколад? — засмеялась Влада. — Прикольное имя. И сам он прикольный.

Никита Кузьмич заметил, что она ёжится на ветру. Лёгкая куртенка совсем не защищала от сентябрьского вечернего холода.

— Пошли домой, — предложил он. — Холодно. Да и поздно уже.

— А ваша жена? Она не выгонит меня?

— Не знаю. — Никита улыбнулся. — Надеюсь, что нет.

Влада тряхнула рыжими кудрями:

— Ну идём.

5.

Надежда Сергеевна открыла дверь, и брови ее нахмурились:

— Опять? Никита, ты зачем?

— Надюша, я все потом тебе объясню. Дай нам войти.

Надежда Сергеевна приготовилась к атаке, но в это время щенок протиснулся мимо ее ног в прихожую, оставляя на чисто вымытой плитке грязные следы.

— Ах ты, негодник! — крикнула она и подхватила его на руки. — А ну, пойдём мыться! — С этими словами она унесла щенка в ванную, а

Никита Кузьмич и Влада беспрепятственно зашли в квартиру.

— Раздевайся, — велел он девушке, — будем ужинать.

Он сам себе удивлялся. Радикулит как рукой сняло, ничего не болело, напротив, все тело переполняла кипучая энергия. «Это все щенок», — сказал себе Никита Кузьмич, однако в глубине души ему было ясно, что щенок тут совершенно ни при чем. Виновницей его хорошего настроения, без сомнения, стала рыжеволосая Влада, похожая одновременно на солнце и на любимый им с детства спелый сочный фрукт — апельсин.

Надежда Сергеевна вышла из ванной, спустила щенка на пол, и он тут же умчался в комнату.

— Надюш, что у нас сегодня на ужин? — преувеличенно бодро спросил Никита Кузьмич.

Влада тем временем снова сняла кеды и смотрела на хозяйку дома с ожиданием.

— Господи, — вздохнула Надежда Сергеевна, — ну что ты будешь делать! Ох, Никитушка, поплатимся мы за твою доверчивость, помяни мое слово... Вареники с обеда остались, ну и я ещё голубцов навертела ленивых. — Она махнула рукой и ушла в кухню. Оттуда донёсся яростный звон тарелок.

— Ну что ты стоишь? — Никита подмигнул Владе. — Беги, мой руки.

За столом царило напряженное молчание. Надежда Сергеевна, поджав губы, разложила голубцы по тарелкам, разлила подливку, поставила тарелочку с хлебом.

— Если кому сметаны, то я положу.

— Мне, если можно, — подала голос Влада.

— Отчего ж нельзя. — Надежда Сергеевна все с той же кислой миной пожала плечами, залезла в холодильник, достала банку с рыночной сметаной и плюхнула Владе целую ложку.

— Ой, объедение! — Та причмокнула языком. — Так вкусно! Вы отличная хозяйка.

— Спасибо, я знаю, — сдержанно отозвалась Надежда Сергеевна.

— Послушайте, — Влада вскинула на неё зелёные глаза, на дне которых притаились золотые искорки-смешинки, — вы, наверное, злитесь на мужа. Это понятно.

— Ничего я не злюсь, — пробормотала Надежда Сергеевна и покраснела.

— Злитесь, злитесь. Ведь он вам изменил.

— Глупости все это. Я тебе не верю. Не было никакой Свиристелкиной, ты это все выдумала, чтобы попасть в наш дом.

— Но ведь дед признаёт, что это было!

— Не смей называть его дедом! — Надежда Сергеевна стукнула кулаком по столу, так, что голубец подпрыгнул в тарелке.

— Ладно, ладно. — Влада примирительно замахала руками. — Он мне сам разрешил, между прочим. Но раз вам это неприятно, то не буду.

Она принялась за еду. Надежда Сергеевна сидела красная как рак. Никита Кузьмич решил разрядить обстановку.

— Может, ты нам споёшь после ужина? — спросил он у Влады.

— Спеть? — Она поглядела на него с хитрым прищуром. — Легко.

— Ну вот и славно. — Никита покосился на щенка, опустошавшего миску. — Мы все с удовольствием послушаем. И Шоколад тоже.

— Что ещё за пение? — проворчала Надежда Сергеевна, однако больше ничего не сказала.

После чая Влада помогла ей перемыть посуду и убрать со стола. Никита ждал их в гостиной, Шоколад притулился у него на коленях и сладко посапывал. Никита думал о том, что станет говорить жене, когда они останутся наедине. А надо ли что-то говорить? Столько лет прошло. Надя всегда была в курсе его романчиков, но мудро помалкивала, делая вид, что ничего не замечает. И сейчас подуется, посердится да и простит. Даже преступления, и те прощают за давностью лет...

— Что вам спеть? — Влада стояла на пороге, и ее щеки, и без того румяные, после сытного ужина пламенели, как маки. Надежда Сергеевна протиснулась из-за ее спины в комнату и села рядом с Никитой Кузьмичом.

— Давай что-нибудь из Кристины Агилеры, — потребовал тот.

— Ого! — Влада кинула на него одобрительный взгляд. — Вам нравится Агилера?

— Нравится.

— Ну окей. Я тоже ее обожаю, хоть это и не джаз. — Она достала телефон и включила минусовку.

Никита Кузьмич с интересом смотрел на неё, слушая знакомые звуки вступления. Это была его любимая песня. Страстная и драматичная, она никогда не оставляла его равнодушным. Влада, привычно уже, тряхнула рыжей гривой и запела. Никиту аж подбросило. Какой голос! Полный, сильный, удивительного, бархатистого тембра. Особенно чисто и красиво звучал нижний регистр. «Видимо девчонке передался музыкальный дар от бабушки», — подумал Никита Кузьмич. Маша была необычайно талантлива и слух имела превосходный. Он незаметно взглянул на Надежду Сергеевну. Та была равнодушна к эстрадно-джазовой музыке, ей нравились только песни военных лет в исполнении Шульженко. Но сейчас было видно, что и ее проняло. Она не отрывала глаза от девушки, ее лицо прояснилось и разгладилось. Влада спела последний вокализ и умолкла.

— Браво! — Никита Кузьмич захлопал в ладоши. Надежда Сергеевна не удержалась и тоже захлопала, но тут же смутилась и потупила взгляд.

— У тебя отличный голос. — Никита Кузьмич встал с дивана и подошёл к Владе. — Ты, без сомнения, поступишь в училище. Дураки они будут, если тебя не возьмут.

— Но деньги, — тихо произнесла та, — деньги-то все равно придётся платить. Где их взять?

— Об этом не переживай. Я что-нибудь придумаю. — Никита похлопал ее по плечу. — Спой ещё.

— Вам правда нравится? — просияла Влада.

— Ещё как! И Надежде Сергеевне тоже. Верно, Надюша?

— Верно, — с улыбкой, хотя и сдержанной, подтвердила та.

— Хорошо, я вам спою бабушкину любимую. Вряд ли вы ее когда-нибудь слышали, это мало исполняют. Вот. — Влада ткнула пальцем в телефон.

Послышались нежные звуки флейты, ей вторила скрипка. Мелодия дошла до верха и оборвалась. Наступила напряженная пауза. Перед глазами Никиты явственно встал зал ресторана, рояль, хрупкая девушка в длинном платье... и тут же он услышал серебристый голос Влады. Он нежно и ясно вплетался в инструментовку, цепляя самые потаенные струны души Никиты, лился, как бирюзовый и чистый ручей, смывая все горькое, тоскливое, само безжалостное время... Никита почувствовал, как к горлу подступают слёзы, и скрипнул зубами.

Музыка кончилась так же внезапно, как и началась. Никита, потрясённый, не мог вымолвить ни слова. Наконец он глубоко вздохнул.

— Великолепно! Кто автор этой композиции?

— Ты все равно его не знаешь. — Влада улыбнулась. — Я рада, что вам понравилось. — Она
спрятала телефон и неожиданно широко зевнула. — Простите, спать хочется. Устала как собака
за день.

— Так ложись и отдыхай, — засуетился Никита Кузьмич. — Надюша, ты постелишь?

— Постелю. Пусть ляжет у тебя в кабинете,
я туда раскладушку поставлю. Ты ведь не против? — Она в первый раз за вечер посмотрела на
Владу без злости.

— Я только за, — согласно кивнула та. —
Можно в душ?

— Можно, — разрешила Надежда Сергеевна. — Полотенце возьмёшь на полке в шкафчике.

Влада снова кивнула и скрылась в ванной, откуда сразу же донёсся шум воды. Никита вопросительно взглянул на Надежду Сергеевну.

— Ну? Что ты на меня смотришь? — усмехнулась та. — Старый ты развратник. И не стыдно
тебе? Может, у тебя много таких внучек?

— Нет, только одна. — Никита ласково обнял
жену. — Но зато какая! Чудо девушка. А какой талант!

— Другая на моем месте выгнала бы вас обоих
на улицу, — проворчала Надежда Сергеевна. —
Стыд какой — на старости лет такое узнать!

Однако Никита видел, что она больше не сердится. Влада ей понравилась, как и ему самому. Ну
что с того, что она немного поживет у них? Будет

петь им по вечерам, а днём гулять по бульвару с Шоколадом. Опять же, поможет Наде по хозяйству.

— Ты у меня самая лучшая, — нежно сказал Никита Кузьмич и обнял жену. — Пошли спать.

Уже в спальне, переодевшись в халат и включив лампу для чтения, Никита услышал, как хлопнула дверь ванной. «Ну, русалка, — с добродушной насмешкой подумал он, — плещется в душе полчаса».

— Да, — раздался из коридора приглушённый голос Влады. — Да, у меня все в порядке. Все окей. Целую.

«С кем это она? — полюбопытствовал Никита. — Мать-то, по ее словам, умерла, бабушка тоже. Может, уже парень есть? Наверняка — у такой-то красотки». Он вдруг почувствовал укол ревности. Ему захотелось, чтобы у Влады не было никакого парня, и вообще никого из близких и друзей. Пусть он будет ей самым близким и нужным, никем не заменимым. С этими мыслями он залез под одеяло, раскрыл томик Драйзера, но чтение не заладилось. Глаза слипались, в голове роился целый ворох воспоминаний, слегка ныло сердце. Никита погасил лампу, повернулся на бок к стенке, и вскоре его сморил крепкий сон.

6.

Ему снилась Маша. Ее невероятные глаза, нежные улыбающиеся губы. Он целовал руки, щеки, волосы, всю ее целовал, с неистовой страстью, даже с исступлением. Была ночь, шел снег, голубые снежинки кружились под тусклым светом желтых фонарей, и не было вокруг ни единой души, ни звука, ни шороха. Никита выпустил Машины руки, слегка отстранил ее от себя. Она молчала, легонько покусывая губы.

— Наконец я нашёл тебя, — шепотом проговорил Никита. — Как я виноват! Виноват, что не решился, уехал, бросил тебя. Но и ты хороша — скрыла от меня, что будет ребёночек. Как ты могла?

— О чем ты? — Маша посмотрела на него с недоумением. — Какой ребёночек?

— Ну как же? Девочка, Аня. Моя дочь. — Он хотел обнять ее снова, но она выскользнула из его рук.

— Ты что-то путаешь, Ник. Я... я... — Ее лицо вдруг сморщилось, губы скривились, Из глаз выкатились две крупные слезинки.

— Не плач, милая! Не надо плакать, я ни в чем тебя не виню. Я люблю тебя. Любил всю жизнь и только теперь понял это.

Он хотел вытереть слёзы с ее лица, но пальцы скользнули в пустоту. Прекрасное видение таяло на глазах, рассеиваясь по снежной ночи. Миг — и перед его глазами осталось лишь чёрное небо с золотым тонким серпом луны.

— Маша! — крикнул Никита и проснулся...

Со сна ему показалось, что он не дома, а в той убогой квартирке в М. Он вздрогнул, облизал пересохшие губы, повернулся и увидел Надежду Сергеевну. Та сидела на кровати и с тревогой глядела на него.

— Что, батюшка, сердце? Ты так стонал во сне. Я уж хотела «Скорую» вызвать.

— Сердце? — хрипло переспросил Никита Кузьмич и вытер со лба холодный пот. — Да нет. Все в порядке, не бойся. Сколько времени? — Он покосился на темное окно.

— Шестой час, — сказала Надежда Сергеевна, глянув в телефон, и зевнула. Никита Кузьмич кряхтя сел на кровати и свесил ноги на пол.

— Ты куда? Рано ещё. Поспи.

— Пить хочется. Пойду попью.

— Там компот в холодильнике.

— Я лучше просто воды.

Надежда Сергеевна кивнула и легла под одеяло. Никита Кузьмич, шаркая тапками, вышел в коридор и побрел в кухню. Проходя мимо кабинета, он невольно прислушался, но из-за двери не доносилось ни звука. «Спит, — подумал Никита о Владе. — Конечно, спит, в ее возрасте все долго спят». Он толкнул кухонную дверь и вздрогнул: в темноте за столом белел силуэт. Никита Кузьмич дрожащей рукой нашарил выключатель.

Вспыхнувшая люстра осветила Владу в коротенькой ночной рубашке, склонившуюся над телефоном. В ее ушах были наушники. Она растерянно смотрела на Никиту Кузьмича.

— Ты чего здесь? — Он подошёл к столу.

— Музыку слушаю. Думаю спеть эту композицию. Хочешь тоже послушать? — Она, не дожидаясь ответа, сняла наушники и воткнула их в уши Никиты. Его тут же оглушила дробь барабанов. — Ну как? — спросила Влада минуту спустя.

— Ничего, — неуверенно выдавил Никита Кузьмич. — А зачем ночью этим заниматься? Да ещё на кухне.

— Мне не спалось. Захотелось чаю. Я выпила и решила позаниматься немного. Я почти все время что-то слушаю. Не могу без этого. — Она обезоруживающе улыбнулась.

Только тогда Никита Кузьмич заметил на столе чашку с недопитым чаем. Он сел рядом с Владой, аккуратно сняв с себя наушники.

— Расскажи о бабушке, ну, о Марии. Как она жила?

— Хорошо жила. Уроки частные давала.

— Одна? Ну, в смысле, без мужа?

— Мужа не было. Но имелся мужчина. Хороший. Они много лет жили вместе.

Никита Кузьмич нахмурился и замолчал. Потом не выдержал и снова поинтересовался:

— Как хоть она выглядела? У тебя есть фотографии?

— Нету. Бабуля не любила фоткаться. Говорила, в молодости красавица была, а сейчас старое чучело.

Никита Кузьмич невольно улыбнулся:

— Так и говорила?

— Ага.

— Это бабушка научила тебя петь?

— Она.

— Я сразу так и подумал. — Никита вздохнул и мечтательно поднял глаза к потолку.

— Дед, — тихонько окликнула его Влада.

— Что?

— Почему ты уехал тогда? Ты ж ее любил.

— Много ты понимаешь. — Никита Кузьмич решительно встал, налил воды в стакан и залпом выпил. — У меня в Москве семья была, жена, дети.

— Дети-то уже, поди, большие были к тому времени. — Влада посмотрела на него с ехидством.

Никита опустил голову.

— Ну да, не маленькие, но все равно, семья есть семья. Тебе этого сейчас не понять.

— А если не понять, так чего спрашиваешь про бабушку? Не все ли равно, как и с кем она жила? — резко проговорила Влада.

— В этом ты права, — согласился Никита. — Должно быть все равно. Но… получается, что нет. — Он потерянно развёл руками.

— Ладно, — миролюбиво произнесла Влада. — Не будем опять ссориться. Где твоя жена?

— Ее зовут Надежда Сергеевна, пора бы запомнить.

— Хорошо. Где Надежда Сергеевна?

— Спит.

— Вовсе я не сплю, — раздался голос с порога.

Никита Кузьмич и Влада встрепенулись. Надежда Сергеевна в длинном байковом халате стояла в дверях и смотрела на них. Лицо ее было спокойным и незлым.

— Вот ведь полуночники. Не спится им. Может, вам яишенки? С колбаской и с помидорами? А?

Никита и Влада переглянулись и дружно закивали.

7.

«Осень. День стремительно уменьшается, и вдруг, откуда ни возьмись, на город падают сумерки. После шести вечера в окно уже ничего не видно, лишь тусклые, жёлтые фонари горят звериными глазами, нагоняя тоску. Осенью у меня начинают болеть ноги. Черт его знает, отчего — то ли дают знать о себе старые раны, то ли просто организм хандрит, предчувствуя скорую зиму. Позади лето, маленькие скромные радости, впереди почти пять месяцев холода и темноты. И одиночества. Одиночество страшней всего — страшней холода, страшней изматывающей боли в опухших лодыжках.

Я стараюсь об этом не думать, просто сижу и считаю петли: две лицевые, одна изнаночная. Но мысли в голове живут своей жизнью. Они упорно стремятся вернуть меня в прошлое, куда я ни в коем случае не хочу возвращаться. И тогда я достаю из серванта старую потрепанную тетрадь в зелёной обложке. Когда-то давно, в незапамятные времена, я стала записывать в неё все, что со мной происходит, все свои мысли, чувства, переживания. И до сих пор пишу иногда. Надо давно выкинуть эту тетрадь, а лучше — сжечь. Но я упрямо храню ее на полке в серванте, чтобы изредка, когда станет совсем невмоготу, вот как сейчас, открыть потёртую обложку и перелистать пожелтевшие листки в клеточку, исписанные круглым, полудетским почерком.

«…Это был сентябрь. Точнее, конец сентября, и шёл дождь. Первый по-настоящему осенний дождь, долгий и какой-то безнадежный. И мне казалось, что он уже никогда не кончится. Я представляла себе, как выйду на улицу после работы, и дождевой поток смоет меня, растворит в серой пелене и унесёт с собой. Далеко-далеко, в свою дождевую страну, где никогда не бывает солнца. Мне было так грустно и хотелось, чтобы этот долгий день наконец ушёл в прошлое, стал обычным домашним вечером, а затем уютной ночью, когда можно будет поплакать в подушку и уснуть в сладких розовых мечтах.

И тут я заметила на себе этот взгляд. Невероятный взгляд, от которого я сразу перестала клевать носом, взбодрилась. И дождь за окнами вдруг перестал лить, точно по мановению волшебной палочки. Все изменилось вокруг, из бессмысленного, серого и тоскливого стало тёплым и радостным. И я уже знала, что будет дальше. Все знала, до самого конца.

Он подошёл и о чём-то заговорил, кажется, спросил, не замужем ли я. Я почти ничего не слышала, меня накрыло волной счастья. Все то время, что он стоял рядом со мной, я мучилась одной-единственной мыслью: почему это не случилось раньше? Отчего должно было пройти столько серых, дождливых и одиноких дней? Ведь он должен был прийти сюда и заговорить со мной. Это было назначено нам где-то там, высоко на небесах, и не подлежало сомнению».

...Зачем я читаю это? Зачем растравливаю себе душу? Мое сердце давно окостенело, оно не чувствует боли, как израненные ноги, как переломанная спина. В этой жизни за все надо платить, и я заплатила высокую цену за всего-то неделю безграничного, почти безумного счастья. Короткий и страшный миг разделил мою жизнь на до и после. До — это юность, любовь, упоительные мечты, после — старая скрипучая инвалидная коляска и мертвенный холод одиночества. Между ними адский, леденящий душу скрежет, грохот, несущийся навстречу, и сокрушительный удар...

Ну и хватит об этом! Лучше сосредоточиться и считать петли. Это куда более полезное занятие, нежели думать о всяких глупостях...

Мой внутренний диалог с самой собой прерывает звонок в дверь. Я поспешно прячу дневник и еду в прихожую, открывать. Это пришла Галка. Почему-то вместо бананов она принесла мне сегодня маленькие, бледно-желтые груши из сада своей бабушки. Я не люблю груши. Их часто дают в больнице на полдник — именно такие, маленькие, жёлтые, с красноватым боком. А больниц в моей жизни было великое множество. Но Галке ведь этого не объяснишь.

— Я помою? — Она вопросительно смотрит на меня и трясёт прозрачным пакетом.

— Мой.

Она бежит на кухню. Оттуда доносится шум воды и веселый Галкин голос, фальшиво напевающий какую-то песенку. Потом она появляется в комнате с миской в руках, полной груш.

— Ешьте. — Она ставит миску передо мной на старый, потрескавшийся деревянный стол. Я обреченно беру грушу, надкусываю чуть зарумянившийся бочок. — Почему вы так мало связали сегодня? — Галка кивает на темно-зелёный шарф, свешивающийся с моих коленей на пол, как длинная тощая крокодила. Вчера он был почти такой же длины, как и сегодня, а должен был стать длиннее раза в два. Я виновато пожимаю плечами.

— Не знаю. Я... я задумалась.

— О чем? — тут же интересуется Галка. Ее карие глаза с золотистыми искорками вокруг зрачка смотрят на меня пристально и внимательно. Я молчу, не зная, что ей ответить. Галка больше ни о чём не спрашивает. Она берёт из миски груши — одну за другой, с хрустом надкусывает и жуёт. Галка никогда не лежала в больницах, поэтому она любит груши...

Зелёный шарф-крокодила лежит на полу, устало протянув хвост под ножку стола. За окном сумерки. В миске пустота, и в голове моей тоже. Галка давно ушла — у неё не сделаны уроки, надо убраться в своей комнате, а то папа будет ругаться, и поиграть с младшим братишкой, а то заругается мама. А мне надо во что бы то ни стало довязать шарф. Я еду на кухню, завариваю себе крепкий чай, пью. Потом возвращаюсь в комнату, подбираю с полу крокодилу, и... одна лицевая, две изнаночных...»

8.

Иногда и не подозреваешь, как в одночасье может измениться твоя жизнь. Никита Кузьмич пребывал в эйфории. Скуки и тоски как не бывало. Теперь его день был расписан по минутам. По утрам их с Надеждой Сергеевной будил звонкий лай Шоколада, ему вторил не менее звонкий голосок Влады, выводящей свои рулады и вокализы. Так, распевая и пританцовывая, она ассистировала на кухне Надежде Сергеевне — помогала заваривать чай, расставлять посуду, а потом убирать со стола. Любая работа спорилась в её ловких руках.

После завтрака Никита и Влада шли гулять с Шоколадом. Гуляли они долго, не менее двух часов, и говорили, говорили, обо всём на свете. Влада рассказывала о своём детстве, о том, как училась в музыкалке, как впервые услышала Эллу Фицджеральд и влюбилась в джаз. Как прорывалась на концерты знаменитых исполнителей, приезжавших в их городок, рискуя быть пойманной ментами и посаженной в кутузку. Как воровала яблоки из соседского сада в десять лет. Поток ее слов никогда не иссякал. Шоколад весело лаял и стремился в окрестные кусты, над головой шумел желтыми листьями клён. Никита Кузьмич чувствовал себя помолодевшим и бодрым.

Влада пару раз сходила на консультацию в колледж, и там ей сказали, что у неё есть все шансы поступить, но, разумеется, платно. Никита Кузьмич поколебался и затеял с Надеждой Сергеевной серьёзный разговор.

— Надюш, что, если мы снимем со вклада некоторую сумму? Я хочу заплатить за девчонку. Ведь явный талант, ты же сама видишь.

Надежда Сергеевна поглядела на мужа пристально и внимательно.

— Честно говоря, я не сомневалась, что ты заведёшь об этом речь. — Она вздохнула и развела руками. — Что ж, тебя можно понять. Не каждый день находятся такие внучки.

— Какие? — сделал вид, что не понял, Никита.

— Такие, — выразительно повторила Надежда Сергеевна. — Я ведь не слепая, все вижу. Владочка — девушка необычная. Ее сложно не любить. Я и сама... — Она запнулась и смахнула с глаз едва заметную слезинку.

— Ну что ты, Надюша. — Никита Кузьмич ласково сжал ее руку. — Не надо. Зачем ты?

— Погоди, не перебивай. — Надежда Сергеевна справилась с собой. — Ты думаешь, я злюсь на тебя? Я должна ее ненавидеть — это было бы верно в такой ситуации, но я... я почему-то совсем не злюсь, а, наоборот, люблю ее так же, как и ты. Знаешь, за что? За то, что она сделала с тобой. — Надежда Сергеевна с нежностью посмотрела на мужа. — Ты ожил. Ты стал прежним Никитой, моим любимым, неистовым и энергичным Никитой, а не полуразвалившимся больным стариком. Как я могу не быть ей за это благодарной? — Надежда Сергеевна чмокнула мужа в щеку и улыбнулась. — В конце концов, деньги твои. Ты хочешь заплатить за неё? Плати, я не против.

В ответ Никита Кузьмич обнял жену и покрыл ее лицо поцелуями. В тот же день он сходил в банк, снял нужную для оплаты обучения сумму и, положив ее в аккуратный конверт, вручил Владе.

— Что это? — Она с удивлением взяла конверт, заглянула вовнутрь и лицо ее вспыхнуло. — Это мне? За колледж? Да? — Не дожидаясь ответа, она повисла у Никиты Кузьмича на шее. — Дед! Спасибо тебе!! Ты человек! Вот это спасибо!

Никите было настолько приятно, что аж в животе потеплело. Надежда Сергеевна молча стояла чуть поодаль, наблюдая за этой трогательной сценой.

— Учись, внучка. Надеюсь, из тебя выйдет толк. — Никита по-отечески обнял Владу.

— Я должна позвонить! — Она осторожно освободилась от его объятий. — Скоро вернусь.

Она пронеслась по коридору и скрылась в кабинете. Вскоре оттуда послышалась ее сбивчивая и приглушенная речь. Слов было не разобрать, Никита Кузьмич услышал лишь одну-единственную фразу: «Я же говорила!»

— С кем это она? — спросила Надежда Сергеевна.

Никита пожал плечами.

— Откуда мне знать. Вот выйдет, спроси сама.

Влада уже стояла на пороге комнаты, лицо ее пламенело, глаза сверкали.

— Кому ты звонила? — поинтересовалась у неё Надежда Сергеевна.

— Подруге. Она очень рада за меня. Привет вам передаёт.

— Ишь ты, привет, — пробурчала было Надежда Сергеевна и тут же встрепенулась: — Ну что, пирог ставить? В честь такого события?

— Ставить, ставить. — Влада захлопала в ладоши и снова принялась тормошить и целовать Никиту Кузьмича.

Пирог удался на славу — любимый Никитин, с лимоном и сахарной пудрой. За чаем активно обсуждали Владину предстоящую учебу.

— Я хочу пойти с тобой на экзамен, — заявил Никита Кузьмич.

— Тебя туда не пустят. Вход только по пропускам, и только для абитуриентов. Ты лучше вот что — приходи на Арбат. В следующую пятницу, к восьми. Там наша группа будет петь. У меня соло. Придёшь?

— Приду!

— Замётано. — Влада хлопнула ладошкой о ладонь Никиты Кузьмича. — Ладно, я пойду, порепетирую, а то опозорюсь.

Она выпорхнула из-за стола и унеслась к себе.

— Я тоже хочу послушать, — капризно надула губы Надежда Сергеевна.

— Так в чем проблема? Поедем вместе, — успокоил ее Никита Кузьмич.

9.

В назначенный день ровно в семь они заказали такси до Арбата. Свою машину там было не припарковать, а на метро супруги Авдеевы ездили очень редко. Перед выходом Надежда Сергеевна долго гляделась в зеркало, подкрасила губы, слегка завилась и побрызгалась любимыми духами.

— Брось, Надя. — Никита Кузьмич насмешливо смотрел на ее приготовления. — Ты же не в театр идёшь. Это обычный переход у метро.

— Переход не переход, а хочется не ударить в грязь лицом. Ты б вот ботинки почистил получше, все-таки внучку слушать идёшь.

При слове «внучка» Никита расплылся в улыбке и послушно принялся орудовать щеткой.

Всю дорогу в такси им казалось, что они опаздывают. Никита подгонял водителя, Надежда Сергеевна то и дело смотрела на телефоне время и сокрушенно качала головой. Наконец шофёр высадил их у того самого перехода. Было без десяти восемь.

— Цветочков бы купить, — спохватилась Надежда Сергеевна.

Никита Кузьмич пошарил глазами вокруг, но рядом не оказалось ни одного киоска.

— Простите, — окликнул он приятную женщину, шедшую за руку с девочкой лет восьми. — Не подскажете, где поблизости можно купить букет цветов и, например... торт?

— Цветы — это у метро. А если перейти на ту сторону, там есть отличная кондитерская.

— Спасибо, — поблагодарил Никита Кузьмич.

Времени до восьми оставалось в обрез, но слушать Владу без цветов казалось ему верхом невежливости. Ничего не оставалось, как последовать совету прохожей. Они с Надеждой Сергеевной купили цветы, затем зашли в кондитерскую, и

Никита Кузьмич выбрал роскошный торт под названием «Швейцарский». Пока обошли зал, пока выбрали и отстояли очередь на кассе, прошло минут двадцать.

— Скорее, — занервничал Никита Кузьмич. — А то без нас начнут.

— Не спеши, батюшка, тебе нельзя, — разволновалась Надежда Сергеевна. — Экая я старая дура, нужно было цветов у нас рядом с домом купить, там и дешевле в полтора раза, и выбор хороший.

— Чего теперь говорить, — одернул ее Никита Кузьмич и быстро, как мог, зашагал обратно к переходу. Надежда Сергеевна семенила рядом, на ходу поправляя свои локоны.

Послышался звук саксофона.

— Начали! — Никита Кузьмич рванулся вперёд.

По мере приближения к переходу музыка становилась все громче. К саксофону прибавилась бас-гитара и ударные. В переходе толпился народ, было шумно и людно. Публика состояла в основном из молодёжи, но были там и люди зрелого возраста. Никита Кузьмич сразу увидел Владу. Она стояла перед музыкантами, держа в руке микрофон, на ней было все то же длинное платье, рыжие волосы зачёсаны в высокий хвост на макушке. Он улыбнулся и помахал ей рукой, но она не заметила его. Ее глаза смотрели куда-то вдаль, словно за толпой слушателей была не стена перехода, а какая-то интересная и загадочная перспектива.

Длинное инструментальное вступление закончилось, Влада поднесла микрофон к губам, вскинула голову. Ее голос разнесся далеко за пределы перехода. Гул толпы стих. Никита краем глаза заметил восхищенные взгляды стоящих рядом с ними людей, и его охватила невероятная гордость. Вот это зажигает его Владка! А то ли ещё будет, когда ее подучат! В своих мечтах Никита Кузьмич уже видел Владу на самых престижных сценах, да что там — на экране телевизора в знаменитом шоу «Голос». С таким талантом и внешностью она далеко пойдёт.

Влада закончила петь, и раздались бурные аплодисменты. Саксофон заиграл снова, на этот раз мелодия была томной и печальной. Откуда-то сбоку вынырнул маленький паренёк-скрипач в строгой пиджачной паре. Он играл, зажмурившись, нежно обнимая скрипку, точно жених любимую невесту, и она отзывалась на его объятия тонко и пронзительно. Так же пронзительно и нежно вторила ей Влада.

— Здорово поёт, — раздался позади Никиты мужской голос. Он обернулся и увидел высокого парня с полувыбритой головой и серьгой в носу.

— Вам тоже нравится? — спросил его Никита.

— Ещё как. Раньше я эту девчонку тут не видел. Она совсем недавно появилась. Рыжая бестия, просто огонь.

Никита слушал и балдел. Влада все пела и пела. Композиции были разные, динамичные и яркие песни сменялись меланхолическими и спокойными, и снова ее голос летел вверх, смело взмывая на самые вершины, чтобы затем спуститься вниз замысловатыми пируэтами.

Так прошёл час, за ним другой. Никита Кузьмич, давно так долго не стоявший на ногах, почувствовал, что начал уставать. Люди вокруг менялись, одни уходили, другие приходили, а они с Надеждой Сергеевной все стояли, застыв и прижавшись друг к дружке.

Наконец саксофонист перестал играть и положил инструмент в футляр. Оставшийся народ стал расходиться. Влада о чем-то разговаривала с гитаристом, вид у неё был усталый. Никита Кузьмич и Надежда Сергеевна терпеливо ждали. Через пару минут Влада помахала рукой ребятам и направилась к ним.

— Приветик! О, цветочки! Это мне? Какие красивые! — Она взяла из рук Никиты букет.

— Ещё вот. — Он показал ей коробку с тортом.

— Спасибо! Он дорогущий, наверное.

— Ерунда. — Никита Кузьмич порывисто обнял девушку. — Ты была сегодня неотразима!

— Спасибо, — снова поблагодарила Влада и пошарила глазами по сторонам, словно ища кого-то. Рядом, однако, никого уже не было, кроме маленького скрипача. Тот преувеличенно долго возился со своим футляром, с любопытством поглядывая на Никиту Кузьмича и Надежду Сергеевну. Наконец он захлопнул крышку, застегнул молнию и, смешно подпрыгивая, заковылял к лестнице.

— Поедем домой, — предложил Никита Владе. — Мы устали, да и ты еле на ногах стоишь. Нужно отдохнуть.

— Вы езжайте, — рассеянно проговорила Влада и снова оглядела переход. — Я потом приеду, попозже. У меня... дела.

— Какие дела? — удивился Никита Кузьмич. — Ты на часы смотрела? Почти одиннадцать!

Влада взглянула на экран телефона и нахмурилась.

— Вот видишь, — произнёс Никита Кузьмич, — давно пора домой.

Она, не слушая его, быстро набирала эсэмэску. Отправила — и тут же дзинькнул ответ. Лицо Влады ещё больше помрачнело.

— Езжайте без меня, — тоном, не терпящим возражений, проговорила она. — Я скоро.

— Но как же... так поздно. И ужинать пора... — всполошилась Надежда Сергеевна.

— Не волнуйтесь, я не голодная. Ужинайте себе. Цветы тоже с собой заберите, вы ведь на такси?

Никита утвердительно кивнул. Почему-то его хорошее настроение пропало, стало тревожно и неуютно. Однако делать было нечего.

— Ты давай не задерживайся, — скрепя сердце велел он Владе.

— Хорошо, хорошо. — Она, уже не слушая его, повернулась и побежала из перехода наверх, в другую сторону от метро.

— Куда это она? — расстроенно проговорила Надежда Сергеевна. — Ночь на дворе.

— Не наше дело. — Никита взял жену под руку. — Идём.

— Как это — не наше дело? — ворчала Надежда Сергеевна, тем не менее послушно следуя за мужем. — Ты её кормишь, деньги на обучение тратишь — и не наше дело?

— Ты хочешь, чтобы я учинил ей допрос с пристрастием? — рассердился Никита Кузьмич.

Ему самому было не по себе. Влада действительно повела себя некорректно, даже цветы — и то не взяла. Могла бы уважить стариков — как-никак те специально приехали её послушать, потратили время, деньги, стояли весь вечер на ногах. Стараясь скрыть от супруги недовольство, Никита молча повёл её из перехода к стоянке такси. Они уселись в машину и молчали всю дорогу до дому.

Там их встретил радостным лаем Шоколад. При виде щенка Никита Кузьмич слегка оттаял. Надежда Сергеевна поставила цветы в вазу и пошла на кухню готовить ужин.

— Пусть себе хлопочет, — сказал Никита псу. — А мы с тобой пройдёмся на сон грядущий.

Шоколад радостно завертелся на месте, как волчок. Никита Кузьмич снарядил щенка на прогулку и вышел с ним во двор. Стояла довольно тёплая погода, дул лёгкий ветерок. Никита Кузьмич повёл Шоколада их обычным маршрутом — через двор на бульвар. Так, как они всегда гуляли с Владой.

Надо же — почти месяц прошёл, как она живет у них. Целый месяц. Всего лишь месяц. А Никите кажется, что она жила здесь всегда. Как они могли обходиться без нее, без мелькающей повсюду огненной гривы, звонкого смеха, чарующего голоса...

Никите Кузьмичу вдруг страстно захотелось услышать Владу, сию минуту, прямо сейчас. Он достал телефон и набрал ее номер, но она не взяла трубку. Вот ведь негодяйка — время половина двенадцатого. До этого Влада никогда так поздно не задерживалась, всегда была дома к восьми-девяти. Шоколад требовательно тявкнул, выведя Никиту из раздумий. Он двинулся вперёд по бульвару, продолжая терзаться сомнениями. Неужели у Влады роман со скрипачом? Он ей совершенно не пара — маленький, щуплый, очкастый — на фоне ее румяных щёк как бледная поганка. Никита Кузьмич вдруг понял, что снова испытывает банальную ревность! Глупости какие, просто смешно. У Влады будет куча ухажеров, ведь она красавица. И что же — ко всем ревновать? В конце концов, она ведь и замуж выйти может. Остаётся только порадоваться за свою девочку и не травить себя понапрасну...

Кто-то сзади обхватил его за плечи. Послышался знакомый заливистый смех.

— Вот я вас и нашла!

Никита Кузьмич обернулся и увидел Владу. В темноте ее зелёные глаза светились, как у кошки.

— Гуляете? А ужин уже готов.

— Ты заходила домой? — спросил Никита Кузьмич, чувствуя, как сердце переполняет тихая радость.

Влада кивнула. Несмотря на то что она улыбалась, Никита заметил, что вид у неё по-прежнему усталый и даже печальный.

— Ты чем-то расстроена? У тебя какие-то неприятности? Проблемы?

— Нет, что ты. Какие у меня могут быть неприятности? Все супер. Идём ужинать, а то я голодная как волк.

— Конечно, пошли.

Они вернулись в дом и сели за стол.

— Может, выпьем немного? За успешный концерт? — предложил Никита Кузьмич, когда пришёл черёд торта.

Надежда Сергеевна укоризненно покачала головой:

— И так ужинаем в ночи, так ещё и спиртное. Пожалей своё сердце.

— А я бы с удовольствием выпила шампанского, например, — проговорила Влада.

Никита Кузьмич молча встал из-за стола, сходил в гостиную и принёс из бара бутылку «Абрау Дюрсо».

— Вот. — Он поставил шампанское перед Владой. — Правда тёплое. Невкусно будет, нужно остудить.

— Плевать, сойдёт и тёплое.

Она ловко вытащила пробку и разлила шампанское в фужеры, которые достала Надежда Сергеевна. На стол тут же побежала пена. Влада взвизгнула и засмеялась.

— За концерт! — провозгласил Никита Кузьмич.

— И за моих неутомимых и верных слушателей, — добавила Влада.

Раздался мелодичный звон. Они съели по куску торта — он был изумительный.

— А теперь за... — начал Никита Кузьмич, но Надежда Сергеевна решительно выхватила у него из рук бутылку.

— А теперь — спать!

— И это самый лучший тост. — Влада улыбнулась и широко зевнула.

10.

Через неделю Влада объявила, что успешно спела на экзамене и ее зачислили на первый курс. Занятия шли очень интенсивно, она стала уходить из дома рано утром, а возвращаться затемно. Три раза в неделю совсем поздно — в эти дни она пела в переходе. Никита Кузьмич отчаянно скучал, ждал вечера, как праздника. Часов в десять, в начале одиннадцатого, раздавался звонок, и Шоколад стремглав летел в прихожую. Он кидался на Владу, облизывая ей лицо и руки. Они втроём традиционно прогуливались по бульвару, затем неспешно и душевно ужинали и ложились спать...

Так незаметно промелькнули два осенних месяца. Наступил декабрь. Резко похолодало, задули ледяные ветры, выпал сухой колючий снег. Никита Кузьмич дал Владе денег и настоял, чтобы она купила себе тёплую одежду и обувь. Они вдвоём съездили в «Снежную Королеву» и выбрали там отличную дублёнку светло-шоколадного цвета, длинную, до щиколоток, с красивым капюшоном, отороченным светлым мехом. В ней и в ботинках на толстой подошве Влада была похожа на Герду, отправившуюся из королевского дворца на поиски Кая.

Приближался Новый год, а с ним и первый серьёзный зачёт по вокалу. Влада совсем запропала, приходила домой почти ночью, усталая, осунувшаяся. Даже румянец ее слегка поблек. Вид у неё был сосредоточенный и напряженный. Она рассеянно здоровалась со стариками, вяло ела поданный Надеждой Сергеевной ужин и сразу уходила к себе. Никита заметил, что она стала ещё чаще зависать в телефоне — то переписывается, то просто подолгу говорит с кем-то, запершись в комнате. Тон при этом у неё был не слишком приветливый. Никите стало любопытно и тревожно. Он потихоньку подкрадывался к двери кабинета и старался услышать разговор Влады. Периодически она повышала голос, и до Никиты Кузьмича долетали фразы типа: «Прекрати!», «Сколько можно?!», «Надоело!».

Он окончательно уверился в том, что у Влады роман, причём неудачный. Они со своим скрипачом часто ссорятся и, вероятно, скоро расстанутся. Никите только этого и нужно было. Он мечтал, как они встретят Новый год втроём, а первого января уедут на дачу. Там раздолье, можно топить камин, ходить на лыжах, и Шоколаду будет где побегать и порезвиться.

За неделю до праздников позвонили с завода: сказали, что хотят поздравить и приготовили подарок. Подобное приглашение было обычным делом — Никиту Кузьмича звали на праздничный банкет каждый Новый год. Он не особо любил эти застолья, однако отказываться было неприлично и невежливо.

— Надо съездить, — сказал он Надежде Сергеевне.

— Конечно, съезди, Никитушка, — согласилась та с готовностью. — Спиртное тебе подарят к празднику, а может, и деликатесы какие, как в прошлый раз. К новогоднему столу будет кстати. Поезжай, а я пока уборкой займусь. Не знаешь, Владочка сегодня поздно придёт? А то помогла бы мне.

— Не знаю, позвоню ей сейчас. — Никита с готовностью набрал номер Влады.

Та отозвалась, но не сразу.

— Да. — Голос ее звучал приглушенно, очевидно, она прикрывала трубку рукой. — Что-то случилось? Я на паре.

— Ничего не случилось. Надежда Сергеевна интересуется, когда тебя сегодня ждать. Я отлучусь по делам, а ей требуется помощь в уборке.

— Сегодня у меня вряд ли получится, — вздохнула Влада. — Я поздно буду. У меня зачёт в четыре, потом ещё репетиция к новогоднему концерту. Завтра помогу — я дома целый день.

— Ну хорошо. Удачи! — Никита Кузьмич повесил трубку и крикнул в кухню:

— Влада сказала, что будет поздно. А завтра обещала помочь.

— Ну завтра так завтра. — Надежда Сергеевна выглянула в коридор. Лицо ее раскраснелось от жара плиты. — Ты на машине поедешь или такси вызовешь?

— Такси, — предусмотрительно ответил Никита, предвкушая обильное застолье и отличную выпивку.

— Ну, осторожненько.

Никита кивнул и скрылся за дверью. Дорога до завода заняла у него не более получаса. Его уже ждали: Куролесов, главная бухгалтерша Зинаида Леонтьевна и кадровик Леонид Степанович.

— Здрасте, здрасте, — приветствовал Никиту Леонид Степанович. — Какие люди к нам пожаловали! Идёмте за стол.

Куролесов подхватил Никиту под руку и отвёл в лифт. Они поднялись на второй этаж и зашли в просторную комнату для переговоров, где обычно проходили банкеты. Скорее, это даже был зал. Вокруг царила праздничная атмосфера, играла негромкая музыка, в углу переливалась огоньками елка, на стенах висели разноцветные гирлянды. За длинным столом, покрытым накрахмаленной скатертью, уже сидел народ: нынешний гендиректор, Хромов, его зам, Батюшкин, и несколько начальников цехов. По залу бесшумно сновала секретарша Лидочка, миловидная, пышная блондинка лет тридцати с хвостиком. Все знали, что она любовница Хромова. Ей помогала буфетчица Арина Максимовна, работавшая в заводской столовой ещё с тех времён, когда директором был Никита Кузьмич. При виде Никиты Хромов расплылся в улыбке. Его широкое гладкое лицо напоминало масляный блин.

— Никита Кузьмич, дорогой, проходите, пожалуйста! Лида, усади гостя.

Лидочка метнулась навстречу Никите, аккуратно взяла его под руку, подвела к столу и отодвинула мягкое кресло.

— Садитесь, Никита Кузьмич.

Никите, с одной стороны, было лестно, что на заводе о нем там пекутся, с другой — давала о себе знать давняя боль. Он здесь никто, просто немощный старик, за которым надо ухаживать, а раньше был здесь хозяином, одно его слово — и все бежали выполнять приказания, слушались беспрекословно... Он уселся в кресло, и Лида тут же положила ему на колени белую полотняную салфетку.

— Что пить будем? — Хромов нетерпеливо потёр ладони. — Как всегда, коньячку?

— Как всегда, — пробурчал Никита Кузьмич.

— Сань, наливай, — велел директор Куролесову.

Тот аккуратно плеснул в стопку дорогущего армянского коньяка. Лида положила в тарелку Никите оливье, тарталетку с икрой и кусок осетрины горячего копчения.

— Пирожки берите, — проворковала Арина Максимовна, выныривая откуда-то сбоку с огромным блюдом в руках. — Эти, круглые, с мясом, продолговатые с капустой.

Пироги у Арины были знатные, Никита это знал. Он взял пару пирожков и надкусил тот, что с мясом.

— Красота! — пропел Хромов и поднял рюмку с водкой. — Ну, Никита Кузьмич, за вас!

— Зачем за меня, — нахмурился Никита. — Вон праздник на носу. Давайте лучше за него.

— За него успеем. Мы ж никуда не торопимся, а закуски вон сколько. — Хромов оглядел стол хозяйским взглядом. — За Никиту Кузьмича, отца родного и учителя!

Все захлопали в ладоши. Хромов с шумом втянул носом воздух и опрокинул рюмку, тут же схватил с тарелки тарталетку и целиком отправил ее в рот. Никита поморщился и выпил коньяк. Сразу же внутри разлилось приятное тепло. Ему захотелось выпить ещё. Хорошо, что они не позвали Надю — та не дала б ему ни стопки принять. Никита подцепил на вилку осетрину.

— Еще? — Куролесов уже услужливо наклонил бутылку.

— Давай.

После третьей рюмки настроение у Никиты Кузьмича стало вполне сносным. Его уже не раздражала ни круглая, лоснящаяся физиономия Хромова, ни широкий и вертлявый зад Лидочки, ни гнусавый бас Батюшкова. Ему захотелось пообщаться, и он жестом подозвал к себе Куролесова. Тот уселся рядом.

— А щенок твой ничего, сукин сын, — с усмешкой произнёс ему на ухо Никита. — Умный, собака, все понимает. Озорует только иногда.

— Ну что ж ему не озоровать, если он ребёнок ещё, — философски заметил Сашка. — Вырастет, серьёзности прибавится. Ты, главное, Кузьмич, гулять с ним ходи, ну и воспитывай. Команды всякие и так далее.

— Гуляем. — Никита кивнул и потянулся к рюмке.

— Не хватит ли? — забеспокоился Куролесов. — Надежда Сергеевна меня убьет.

— Не учи ученого, — вмешался в разговор Хромов. — Давай, Никита Кузьмич, выпьем за твоё здоровье. Наливай! — велел он Куролесову.

Тот скорчил физиономию, но послушно взялся за бутылку.

Незаметно в комнате сделалось душно, лица у сидящих разгорелись, все сидели красные, как помидоры, с благостными улыбками. Лидочка затянула грустную песню. Голос у неё был красивый, густой и бархатистый. Никита невольно вспомнил о Владе. Вот бы рассказать о ней, если не всем, то хотя бы Куролесову! Похвастаться, какая у него внученька объявилась… Он уже открыл рот, чтобы начать, но в это время Арина принесла горячее — цыплёнка табака с картофельным пюре и маринованными огурчиками.

Разгоряченный выпивкой народ с жадностью набросился на еду. Никита понял, что никто его слушать не будет, так только — сделают вид из вежливости. Самому ему есть уже не хотелось, да и пить тоже — он явно превысил свою дозу, в голове неприятно шумело, во рту была сухость. «Домой бы сейчас, к Надюше, — подумалось Никите, — там, глядишь, и Владка придёт. Погуляем с Шоколадом, поужинаем втроём». Он невольно зевнул.

— Скучаешь, Никита Кузьмич? — спросил Хромов, от цепкого взгляда которого ничего не укрылось.

— Да не скучаю, а пора мне. Жена дома ждёт.

— Ну погоди чуть-чуть, у нас ещё торт, Аринин фирменный, с желе и миндалем. Пальчики оближешь.

— Правда, Кузьмич, — сладко запел Никите в ухо Куролесов, — чего ты! Посиди ещё. Тут тебе такие презенты от начальства. Посиди.

— Ну, посижу. — Никита сердито вонзил вилку в цыплёнка.

— Так-то лучше, — удовлетворенно произнёс Хромов.

В воздухе гудел нестройный хор голосов, каждый говорил о своём и слушал только себя, но это никого не раздражало. Пьяная Лидочка взгромоздилась Хромову на колени и ласково промокала платочком его потную лысину. Бухгалтерша под столом толкала ногой ногу замдиректора. Никита отлично видел это, вяло поглощая цыплёнка, который, надо сказать, был весьма недурён. Кто-то настежь распахнул окно, и в помещение ворвался свежий морозный воздух.

— Десерт! — зычно объявила буфетчица.

Внесли на подносе огромный торт, весь залитый розово-зелёным желе и утыканный орехами, как стразами, за столом дружно зааплодировали.

— Стоп. — Хромов поднял кверху обе руки. — Это ещё не кульминация, так сказать. Попрошу подарки в студию!

Две молоденькие девушки, помощницы Арины, внесли в зал пару огромных пакетов.

— Вот. — Хромов встал и повернулся к Никите Кузьмичу. — Дорогой наш бывший директор, это вам!

— Так много? — удивился Никита Кузьмич. — Ну спасибо.

— Так же, как и всегда, — самодовольно оскалился Хромов. — Мы наших предшественников помним, мы не какие-нибудь...

Никита не к месту вспомнил вдруг, как двадцать лет назад Хромов был тощим, сутулым и несчастным мужичонкой, от которого недавно ушла жена. Многого же он добился за эти годы! Ни дать ни взять барин в собственной вотчине. А ведь перед правлением стоял выбор между ним и Батюшковым. Предпочтение отдали Хромову, потому что опыта у него было побольше. И не ошиблись, как видно — завод при нем процветает. Открыли собственные фирменные магазины, заключили контракты с частными краснодарскими винодельнями. Время этому благоприятствует. Эх, если бы не проклятый инфаркт, — никому бы не отдал Никита своё детище! Сам бы такое тут развернул... ну да что там...

— Спасибо, — проговорил он с тоской и взял из рук девушек пакеты. — Спасибо, что не забываете, что дружные такие, хлебосольные — за это тоже спасибо. Начальник у вас дельный, грамотный.

Хромов довольно закивал.

— Спасибо всем, — ещё раз повторил Никита и встал.

— Посиди ещё, — попросил его директор.

— Нет, поеду. Домой пора, к семье.

— Супруге большой привет и поздравления. Надеюсь, будет довольна подарком.

— Передам. — Никита Кузьмич неловко вылез из-за стола и двинулся к двери.

Вокруг него суетились Куролесов и Лидочка.

— Я такси вызову. — Куролесов полез в телефон.

— Зачем такси? Шофёр наш отвезёт, Володя. Я ему сейчас позвоню, и он подъедет. — Лидочка вытащила трубку. — Вов? Ты на месте? Ну молодец. Давай к подъезду, человека надо домой доставить. Да, важного, директора бывшего. Ага, давай. Мы спускаемся.

Пока ехал лифт, машина уже прибыла. Куролесов усадил Никиту на заднее сиденье, рядом пристроил пакеты.

— Домчит с ветерком. — Он улыбнулся и подмигнул Лидочке. — А я к вам скоро в гости наведаюсь. Посмотрю, как там ваш питомец.

Дорогой Никита вздремнул. Очнулся он от мягкого толчка.

— Просыпайтесь, — сказал шофёр. Никита выглянул в окно и увидел свой подъезд. — С наступающим, здоровья вам. — Мужчина вышел и распахнул перед Никитой дверцу. — Пакеты помочь донести?

— Не надо, я сам. — Никита Кузьмич подхватил подарки и едва не упал — такие тяжелые они оказались. Немудрено, в каждом по нескольку бутылок, да ещё и куча продуктов.

— Я все же помогу, — сказал Володя и, взяв из рук Никиты Кузьмича пакеты, зашагал к подъезду.

Никита семенил следом, чувствуя себя усталым и разбитым. Последние несколько рюмок явно были лишними. Слегка покалывало в левом боку, в затылке чувствовалась тяжесть. «Немного полежу, — решил Никита Кузьмич, — а если станет легче, пройдусь с Шоколадом. Заодно дойдём до ёлочного базара, купим маленькую елочку». Елочку он запланировал давно — хотел сделать Владе сюрприз. Она рассказывала, что ни разу в жизни у неё в доме не было живой ёлки.

В квартире кипела работа. Надежда Сергеевна встретила Никиту Кузьмича на пороге с тряпкой в руках.

— Пришёл? Вот хорошо, поможешь мне стремянку из кладовки достать.

— Зачем тебе стремянка? — удивился Никита Кузьмич, с облегчением пристраивая пакеты на тумбочку в прихожей.

— Люстры хочу протереть и пыль со шкафа убрать.

— Ты бы подождала с люстрами, — усомнился Никита. — Лучше пусть Влада завтра протрет, ей-то полегче будет, чем тебе, по лестницам лазить.

— Для неё ещё полно дел. Давай, доставай.

Никита разделся, зашёл в кладовку и вытащил оттуда стремянку.

— Спасибо, — поблагодарила Надежда Сергеевна и ласково добавила, поглядев на бледное лицо мужа: — Устал? Что подарили-то? Хоть дельное?

— Сама глянь. — Никита Кузьмич прилёг на диване в гостиной.

Он слушал, как жена в прихожей роется в пакетах.

— Красота какая, Никитушка! — раздался ее радостный голос. — Тут чего только нет — и шампанское, и осетрина, и икра! У нас будет отличный праздник. А ещё я в Интернете рецепт нового пирога нашла, чизкейк называется.

Никита слушал жену и улыбался: не одному ему охота сделать Владе сюрприз. Вон Надя-то как старается, хочет саму себя превзойти. Надежда Сергеевна с восторженными восклицаниями понесла продукты в кухню. Никита Кузьмич с блаженством вытянулся на диване, пристроив затёкшую шею на мягких подушках. Ему захотелось вздремнуть, но он сделал над собой усилие. Нет, спать сейчас нельзя, нужно идти за елкой. Шоколад уютно пристроился сбоку и время от времени облизывал его щеку и нос. Вскоре вернулась Надежда Сергеевна и, охая и кряхтя, полезла на стремянку. Никита посмотрел на неё, покачал головой и встал.

— Ты куда? — удивилась она. — Лежи, тебе нужно отдохнуть. Вот, зелёный весь, и под глазами синяки.

— Нет, я пойду, за елкой схожу. Я быстро, ёлочку возьму маленькую, не тяжелую. Если что — заплачу, мне помогут донести. Ты смотри, осторожней тут.

— Хорошо. — Надежда Сергеевна продолжила энергично орудовать тряпкой. — Только ты давай недолго.

— Не волнуйся, я туда и обратно.

Никита снова оделся и вышел на улицу. Темнело. Зажглись фонари. Он вдохнул полной грудью морозный воздух и зашагал к супермаркету, возле которого торговали елками. Там он выбрал миниатюрную пушистую красавицу, долго вертел ее, оглядывая со всех сторон и наконец попросил связать. Елочка оказалась совсем легкой, помощи просить не пришлось. Никита Кузьмич без труда донёс ее до дома, загрузил в лифт и поднялся на свой этаж. Руки его были заняты и он, не доставая ключей, позвонил в дверь. Тоненько залаял Шоколад, однако Надежда Сергеевна не открывала.

— Совсем зашилась там со своей уборкой, — недовольно проворчал Никита Кузьмич и, прислонив ёлку к стене, принялся шарить в карманах. Он нашёл ключи, вставил в скважину, повернул. Щенок вертелся у порога, больше в прихожей никого не было. — Ау, Надюш, — позвал Никита Кузьмич, — иди сюда! Посмотри, что я принёс.

Ему никто не ответил.

— Надя, — забеспокоился Никита, — ты там не перетрудилась? Тебе плохо? А, Надюш?

Он торопливо снял обувь и прошёл в гостиную. Надежда Сергеевна лежала посреди комнаты на ковре, неловко подвернув под себя правую ногу. Вокруг ее головы расплывалась темное пятно. Рядом возвышалась стремянка.

— Надя!!! — Никита бросился к супруге, рухнул рядом на колени. — Наденька, что с тобой? Ты упала? Разбилась? Милая, я же говорил! Сейчас, сейчас... — Он повернул ее лицо к себе.

Глаза ее был закрыты, изо рта вытекала струйка крови. Никите стало страшно. Он приложил ухо к груди Надежды Сергеевны и услышал биение сердца — настолько слабое, что казалось, оно вот-вот прервётся и затихнет.

— Слава богу! — Никита Кузьмич осторожно подсунул руку под голову жены. — Слава богу, ты жива! Ты слышишь меня, Надюша? Пожалуйста, открой глаза!

Веки Надежды Сергеевны дрогнули, губы шевельнулись.

— Н-Никита, — прошептала она почти беззвучно. — Никит...

— Милая моя, все будет хорошо. — Он стиснул ее руку. Она была холодной, как лёд. — Я сейчас вызову врачей. Они помогут тебе. Как же ты так умудрилась? Какая неосторожная.

— В-Влада... Она... я не... — Пальцы Надежды Сергеевны выскользнули из Никитиной ладони, голова безвольно склонилась набок.

— Э, ты что? Надя!! Не смей! Смотри на меня, Наденька, пожалуйста! Смотри! — Никита почувствовал, будто стальная рука больно сжимает грудь. Он схватил Надежду Сергеевну за плечи и стал трясти. Та болталась в его руках, словно тряпичная кукла, лицо ее побелело, губы сделались лиловыми. — Господи, Надя, что это?? Что ты наделала? Как быть теперь?

Что-то мокрое и холодное коснулось его руки. Никита вздрогнул и увидел Шоколада. В его чёрных, блестящих глазах была тревога. Никита тяжело поднялся с пола и заходил по комнате, хрипло и шумно дыша. Нужно что-то делать, звонить в «Скорую». Да, конечно, в «Скорую»! Быстрее, быстрее, только бы успеть. Ведь не может быть, чтобы Надя...

Никита Кузьмич застонал и схватился за голову, но тут же отдернул руки и выхватил телефон.

— Ало, «Скорая»! У меня жена... упала с лестницы. Нет, не в доме, в квартире. Какая лестница? Обычная, стремянка. Нет! Нет, она не говорит! Дышит ли? Не знаю, я не знаю!!! Пожалуйста, я прошу вас, скорей, иначе я сойду с ума!

— Успокойтесь, «Скорая» сейчас будет, — произнёс ему в ухо бесстрастный женский голос. — Ждите. — Диспетчер отключился.

Никита Кузьмич снова склонился над женой.

— Надя! Ради всего святого, очнись! Приди в себя, поговори со мной!!

Надежда Сергеевна молчала и не шевелилась. Никита сел рядом с ней на пол, вытер взмокший лоб. Надо ждать. Приедут врачи, помогут, они должны помочь. Это просто кошмарный сон. Сон...

Он очнулся от звонка в дверь, тяжело поднялся с пола и вышел в прихожую. Щелкнул замок. Квартиру тут же наполнили люди.

— Вам лучше выйти в соседнюю комнату, — раздался над его ухом спокойный голос.

— Почему выйти? — растерялся Никита Кузьмич, но чьи-то уверенные руки взяли его за плечи, осторожно развернули и подтолкнули к двери. Он зашёл в спальню и опустился на кровать, следом забежал пёс. До него доносились короткие реплики:

— Дыхания нет.

— Пульс?

— Нет.

— Похоже, поздно. Слишком поздно...

Никита обхватил руками голову и съёжился на кровати. Ему казалось, что время застыло, повисло в воздухе, как виснет по углам старого дома паутина. За стеной зловещим шёпотом переговаривались врачи, слов Никита разобрать не мог.

Наконец на пороге возникла фигура в синем комбинезоне. Никита даже не понял, мужчина это или женщина.

— Нам очень жаль. Она умерла.

Никита пошевелил сухими губами, но не смог вымолвить ни слова.

— Скажите, это случилось при вас? — спросила фигура и, подойдя ближе, оказалась девушкой с усталым и красивым лицом.

— Что случилось? — не понял Никита Кузьмич.

— Ну упала она при вас?

— Нет. — Он мотнул головой.

— А дома кто-то был с ней?

— Никого.

— Ясно. Видите ли, мы обязаны в таких случаях вызвать полицию. Они сейчас приедут. Женщину заберут позже, когда следователь разрешит. Потом с вами свяжется агент, расскажет, как действовать.

— Агент? Какой агент? — обалдело переспросил Никита.

— Похоронный агент, — мягко объяснила девушка.

— Таня, поехали, — позвал из прихожей мужской голос.

— Держитесь. — Девушка дотронулась до плеча Никиты и поспешила за дверь.

Через пять минут приехала полиция: двое дюжих молодцов в форме и женщина лет тридцати пяти в штатском.

— Здравствуйте. Майор Петровская, — представилась она низким, прокуренным голосом. — Мне нужно задать вам несколько вопросов. —

Женщина уставила на Никиту Кузьмича холодные и прозрачные глаза. — Вы в состоянии ответить?

Никита Кузьмич сглотнул вставший в горле комок.

— Да, наверное. Не знаю.

— Вам нехорошо? Может быть, нужен врач? — В ее тоне ничего не изменилось, в нем сквозило все то же спокойствие и равнодушие.

— Врач? Нет, врача не надо. Я сам... как-то... — Никита Кузьмич постарался справиться с подступающей дурнотой. Ему ужасно хотелось пить.

— Вам дать воды? — будто угадав его мысли, спросила женщина.

— Да, если можно.

— Можно, отчего же нельзя. — Она крикнула в коридор: — Андрей, принеси воды! И вот что, посмотри, наверняка у них есть валокордин или валерьянка. Накапай капель тридцать.

Один из богатырей мигом принёс чашку, от которой шёл острый запах аниса.

— Вот, пейте.

Никита Кузьмич послушно выпил.

— Теперь вы можете мне ответить?

— Да, могу.

— Как вы думаете, что случилось с вашей женой? Она одна была в квартире?

— Одна. Я ходил за елкой на базар. Надя затеяла уборку к празднику, попросила достать ей стремянку. Наверное, она не удержала равновесие. Когда я пришёл домой, она... она уже лежала...

— Она была мертва? — будничным голосом поинтересовалась Петровская.

— Нет. Она... она ещё была жива.

— Она говорила с вами?

— Она звала меня. Назвала по имени.

— Просто назвала и все?

— Кажется, да. Я не помню. Я был в шоке. — Никита Кузьмич попытался напрячь память, но последние полчаса в его голове превратились в серый, плотный туман, через который невозможно было пробиться голосу разума. — Я правда не помню, — жалобно проговорил он и заплакал.

— Пожалуйста, успокойтесь. — Петровская кинула на него колючий взгляд, в котором не было ни капли сочувствия. — Я понимаю, что вам тяжело. Однако...

— Да что вы понимаете, — с горечью прошептал Никита и вытер слёзы рукавом рубашки.

— Понимаю, — чуть возвысила голос Петровская. — Поверьте, мы каждый день видим и такое, и кое-что пострашнее. Ладно, пойдёмте дальше. Ваша жена назвала вас по имени, и потом отключилась. Что вы предприняли?

— Вызвал «Скорую».

— Полицию не вызывали?

— Нет, только «Скорую».

— Почему не вызвали полицию?

Никита Кузьмич растерялся.

— Я... я не знаю... просто, я был в прострации. Ни о чем не мог думать, кроме того, что Надя... что она умирает. Я думал, может, ей ещё могут помочь... и... зачем полиция, не совсем понимаю...

— Ясно. «Скорая» приехала и вызвала полицию. Верно?

— Да.

— Скажите, кроме вас с супругой, кто-нибудь проживал в квартире?

Никита Кузьмич кивнул и почувствовал, как к горлу подкатывает противная тошнота. Говорить было тяжело.

— Кто? — Цепкий взгляд упёрся в него, точно дуло автомата.

— Девушка. Одна девушка по имени Влада.

— Кто она вам?

— Господи, да какая разница? — Никита закрыл руками лицо.

Ему хотелось лечь на диван, лицом к стене, никого не видеть и не отвечать на эти дурацкие вопросы. Нади нет. Как такое возможно? Ее нет и больше не будет. Ни завтра, ни послезавтра. Никогда...

— Если я спрашиваю, разница есть, — сухо произнесла Петровская. — Кем она вам приходится? Родственница?

Никита Кузьмич, несмотря на своё плачевное состояние, вдруг мысленно содрогнулся. Если он сейчас скажет, что Влада приходится ему внучкой, то придётся признаться в отношениях с Машей, и тогда все, конец! Его затаскают по кабинетам. Никита Кузьмич с опаской глянул на Петровскую. Пойди докажи этой зубастой белоглазой акуле, что у них с Надей не было конфликта по поводу его измен. А где конфликт, там и ссоры, во время которых всякое может случиться. В его памяти свеж был случай с давним институтским другом, Костей Соколовым, который чудом отделался от тюремного срока, примерно так же, по случайности, попав в жернова правоохранительных органов.

— Так кем вам приходится девушка? — слегка повысила голос Петровская.

— Никем. Она снимала у нас комнату.

— Ее фамилия, имя. Где она сейчас?

— Влада. Свиристелкина Влада Леонардовна. Она должна быть на занятиях. Вернётся вечером.

— У вас есть ее номер?

— Да. Вот. — Никита протянул следовательше телефон.

— Позвоните ей, попросите срочно приехать. Не говорите, что случилось. Просто скажите, что нужна ее помощь.

Никита кивнул и нажал на вызов.

— Абонент временно недоступен, — ответил автоответчик.

Он повторил вызов с тем же успехом.

— Ну что? — Женщина смотрела на него с ожиданием.

— Выключен.

— Ну, понятно. — Она хотела что-то ещё добавить, но в это время в комнату заглянул парень в форме.

— Людмила Борисовна.

— Слушаю, Егоров. — Петровская перевела пронзительный взгляд с Никиты на подчиненного.

— Мы сняли записи с камеры наблюдения в подъезде. Сейчас ребята из следственного комитета с ними работают.

— Молодцы. — Петровская сухо кивнула. — Квартиру осмотрели?

— Да. Ничего подозрительного.

— Так. — Следователь снова повернулась к Никите Кузьмичу. — Вот что. Вам придётся проехать с нами. Вы сможете?

— Вы в чем-то... вы меня подозреваете? — Он с трудом заставил себя взглянуть в ее прозрачные ледяные глаза.

Петровская пожала плечами.

— Я пока ни в чем вас не подозреваю, а лишь собираю факты и улики. А вы одевайтесь, машина ждёт внизу. И еще, мы будем вынуждены провести у вас обыск. Ордер я сегодня выпишу.

Никита Кузьмич понял, что спорить бесполезно, и молча кивнул. Он встал с дивана и поплёлся в прихожую, там надел пальто, ботинки, дрожащими руками застегнул пуговицы и вышел вслед за Петровской. Ему помогли сесть в машину. Дверца захлопнулась, автомобиль сорвался с места. Глядя в окно, Никита Кузьмич думал: нужно предупредить Владу, чтобы не проговорилась про их родственные отношения, подыграла ему с версией о квартирантке. Он потихоньку достал телефон и хотел было набрать эсэмэску, но тут же наткнулся на цепкий взгляд майорши.

— Кому вы пишете?

— Никому. Просто... время посмотрел.

Машина затормозила.

— Приехали, — сказала женщина.

Никита Кузьмич послушно вылез и пошёл следом за оперативниками. Его привели в какой-то кабинет, где стояло несколько столов. За одним из них сидел молодой блондин в роговых очках и лейтенантских погонах.

— Посидите пока здесь, — велела Никите следователь. — Я скоро приду.

Никита Кузьмич без сил опустился на стул.

— Воды? — привычно равнодушным тоном поинтересовался блондин.

— Пожалуйста.

Лейтенант наполнил стакан и поставил его на стол перед Никитой Кузьмичом.

— Как ваши фамилия, имя, отчество?

— Авдеев Никита Кузьмич.

— Адрес, год рождения...

Никита отвечал на вопросы, а в мозгу все сильнее свербила тревога. Нужно непременно связаться с Владой, услышать ее голос.

— Можно я позвоню? — перебил он парня.

— Звоните.

Никита снова набрал номер Влады — все тот же «абонент недоступен». Да что ж такое, она никогда не выключает телефон без надобности... Дверь распахнулась, и вошла Петровская.

— Послушайте, — холодно и сухо обратилась она к Никите. — Мы просмотрели запись с камеры. Около пяти часов в подъезд заходила девушка. Высокая, волосы длинные, кудрявые. Наш оперативник прошёлся по квартирам — среди жильцов подъезда такой не числится. В гости эту особу тоже никто не ждал. — Петровская сделала многозначительную паузу и пробуравила Никиту взглядом, от которого ему захотелось провалиться под землю. — Это и есть ваша квартирантка? — грозно вопросила Петровская и, не дожидаясь ответа, пошла в наступление: — Что же это получается? Вы говорили, что она на занятиях, а она, выходит, была дома как раз в тот момент, когда с вашей супругой произошло несчастье?

Никита Кузьмич молчал, ошеломлённый.

— Пожалуйста, ответьте на вопрос, — потребовала Петровская.

— Я... я не знаю, — выдавил наконец Никита Кузьмич. — Это какая-то ошибка! Влада должна быть на занятиях в колледже, это совершенно точно. Она не возвращается оттуда раньше восьми вечера. Я созванивался с ней днём, и она подтвердила, что сегодня также вернётся поздно.

— Никакой ошибки тут быть не может, — холодно отрезала Петровская. — Это и есть ваша девушка Влада.

— Но как она могла там оказаться? — пролепетал Никита Кузьмич. — Когда я пришёл, в квартире было пусто. Ну... в смысле... никого, кроме Нади.

— В этом нет ничего удивительного. — Тонкие губы Петровской дрогнули в подобии улыбки.

У Никиты мороз пошёл по коже.

— Ничего удивительного? Вы... вы хотите сказать, что она... она может становиться невидимкой?

— Невидимкой? Вовсе нет. Те же камеры через пятнадцать минут фиксируют, как она выбегает из подъезда!!

— Не может быть! — вскрикнул Никита Кузьмич. — Это какое-то недоразумение! Я... не...

— Ерунда, — жестко перебила его Петровская. — Ваша квартирантка находилась в квартире в то время, когда с Надеждой Авдеевой произошло несчастье, и она не вызвала врача, не позвонила вам, а скрылась. Вас это не удивляет?

Никита Кузьмич почувствовал, как к горлу подступает удушье, и понял, что сейчас потеряет сознание. Он с силой рванул воротник рубашки. В это время у Петровской зазвонил телефон.

— Да, Андрей, слушаю. Да. Что? Даже так? Ну ясно. Ладно, будем работать. — Она отключила вызов и в упор уставилась на Никиту, жадно хватающего ртом воздух. — Говорите, Свиристелкина? Вы хоть паспорт ее видели? Откуда она взялась у вас в квартире? Явно не через агентство. Договор есть?

— Нет, договора нет. — Никита Кузьмич с трудом перевёл дух. Лоб его покрылся испариной, по спине тек пот. — Мы просто... просто познакомились... в переходе, она там пела. Разговорились. Она сказала... ищет комнату, ну мы с женой и решили, что можем... взять ее к себе, за небольшую плату. — Никита не помнил, что говорил. Руки у него тряслись, язык отяжелел и не слушался.

Петровская молча смотрела на него, и в ее взгляде читалось брезгливое сочувствие.

— В каком переходе она пела? Надеюсь, хоть это вы помните?

— Помню. У метро «Арбатская». А... почему... почему вы все это спрашиваете?

— Почему? — Петровская презрительно хмыкнула. — Да потому, что мы не можем найти ее в базе. Вы, я так понимаю, свою жиличку не регистрировали.

— Нет.

Никита вспомнил, как давно, в самом начале Владиной жизни у них, он предлагал сделать ей временную прописку, но она в ответ беспечно махнула рукой:

— Зачем? В колледже есть общага. Поступлю, там и зарегистрируюсь.

— Нет, — повторил он упавшим голосом. — Она говорила, что зарегистрируется в общежитии колледжа.

— Какой колледж? — тут же поинтересовалась Петровская.

— Джазовый, на Ордынке.

— Сейчас проверим. — Она снова достала телефон: — Андрей. Позвони в джазовый колледж на Ордынке, узнай, числится ли в общежитии Свиристелкина Влада Леонардовна. Вообще все о ней разузнай как можно подробней. Потом зайди.

Трубка в ответ утвердительно крякнула, послышались гудки. Воцарилось напряженное молчание. Петровская придвинула к себе стул и села напротив Никиты. Тот с преувеличенным вниманием принялся разглядывать свои руки. Минут через пять в дверь постучали. Вошёл давешний богатырь, который приносил Никите воду с валерьянкой.

— Нет такой в общежитии, — доложил он Петровской.

— А среди студентов?

Парень покачал головой:

— И среди студентов тоже нет.

— Как нет?? — Никита Кузьмич вскочил со стула. — Как это нет? — выдохнул он прямо в спокойное, бесстрастное лицо следовательши. — Это ложь!! Она же училась там! Ходила на занятия! Проверьте ещё раз! Они могут ошибаться.

— Не могут они ошибаться, — устало, но терпеливо проговорила Петровская. — Успокойтесь. Сядьте, а то вам станет нехорошо. Садитесь. — Она силком усадила Никиту обратно на стул. — К сожалению, это не ложь, такое случается сплошь и рядом. Москва наполнена мошенниками и аферистами. Ваша Свиристелкина — одна из них. Не удивлюсь, если она приложила руку к тому, что ваша супруга свалилась с лестницы.

— Нет!! — Никита отшатнулся от неё и больно ударился о край стола. — Не говорите так! Не надо!! Нет!

Он вдруг понял, что выглядит в высшей степени странно, столь бурно реагируя на то, что квартирантка оказалась обманщицей, и с трудом заставил себя замолчать. В ушах у него шумело так, будто рядом плескалось разбушевавшееся море. Вероятно, вид у него был совсем неважнецкий, потому что Петровская неожиданно смягчилась.

— Ладно, — проговорила она чуть доброжелательней, — на сегодня хватит. Можете ехать домой. Завтра у вас произведут обыск. Если вдруг Свиристелкина объявится или выйдет на связь, тотчас звоните мне. Вот номер. — Она протянула Никите визитку.

Тот трясущейся рукой взял ее и, тяжело поднявшись, вышел из кабинета. В коридоре ему пришлось сесть на банкетку и просидеть минут десять — его продолжало тошнить, в левом боку ощущалась тяжесть. Никита Кузьмич сунул под язык таблетку нитроглицерина и, дождавшись, пока она подействует, заковылял к выходу.

Оказавшись на улице, он первым делом достал телефон и позвонил Владе, но та по-прежнему была вне доступа. Никита вызвал такси и поехал домой. Зайдя в квартиру, он почувствовал, что не может больше сдерживаться, и разрыдался. Шоколад в смятении прыгал рядом, лизал ему руки и лицо, иногда жалобно поскуливая. В углу прихожей сиротливо стояла ёлка, от неё шёл упоительный аромат. Никита Кузьмич проглотил слёзы, откашлялся и набрал номер Куролесова.

— Ну как подарок? — бодро отозвался тот. — Хозяйка довольна?

— Саня, беда. Можешь приехать? Прямо сейчас...

— Что такое? — В голосе Куролесова послышалось беспокойство. — Что случилось, Кузьмич?

— Надя... она... господи, этого не может быть... — Из глаз Никиты снова хлынули слёзы.

— Что с Надеждой Сергеевной? Ей плохо? Она в больнице?

— Она... погибла, Сашка. Упала. С этой чертовой стремянки упала, и прямо головой.

— Да ты что! Ужас какой. Держись, Кузьмич, я еду! Держись!!

Никита Кузьмич отложил телефон и зашёл в комнату. При виде кровавого пятна на паркете ему сделалось нехорошо. Он уцепился за дверь и медленно сполз на пол. В таком виде и нашёл его Куролесов, примчавшийся за десять минут. Он поднял Никиту с пола, раздел, уложил в постель, принёс горячего чая с мёдом.

— Держись, Кузьмич. — Сашка ласково поглаживал друга по руке. — Держись. Ты не должен раскисать. Надежда Сергеевна этого бы не хотела, я уверен. У тебя вон дружок есть. — Куролесов кивнул на щенка, свернувшегося клубком на ковре. — Тебе хворать нельзя. А я рядом буду. Я тебя не оставлю.

Постепенно Никиту стал одолевать сон — Куролесов подмешал в чай успокоительное. Перед его глазами возникало лицо жены: белое, строгое и спокойное. Глаза ее были открыты и смотрели прямо на Никиту. Губы шевелились, будто она хотела что-то сказать, но изо рта не вылетало ни звука.

— Надя! — прошептал Никита и хотел приблизиться к ней, но его тело будто превратилось в чугунную гирю и не сдвигалось с места. — Надя, не уходи! Останься со мной, прошу тебя!

Она медленно покачала головой и, повернувшись, пошла от него в темноту. В этот момент Никита Кузьмич вдруг отчетливо и ясно вспомнил, что сказала жена, прежде, чем покинуть его навеки. Она назвала имя Влады.

11.

На следующий день, около полудня, позвонила Петровская. Она сообщила, что допросила музыкантов из перехода. Все они, и саксофонист, и ударник, и скрипач, сказали одно и то же: солистку группы знали под именем Влада, со вчерашнего дня она исчезла и не выходит на связь.

— Свиристелкина не говорила вам, из какого она города? — спросила следователь.

— Нет, — вырвалось у Никиты Кузьмича, прежде чем он успел что-то сообразить.

— Я так и думала. Впрочем, — Петровская сделала многозначительную паузу, — даже если бы она и назвала вам свой родной город, наверняка это была бы неправда. Эх, ну разве можно быть такими доверчивыми?

Она ещё пожурила Никиту, велела проверить, не пропало ли что из ценных вещей, и наказала быть все время на связи, а в случае, если Влада позвонит, тут же сообщить в полицию. На этом их разговор закончился. Ближе к обеду приехали с обыском. Нашли кое-что из одежды Влады в шкафу в кабинете, ее косметичку, тапочки. Основная же часть вещей исчезла, и это говорило о том, что их владелица пропала окончательно и бесповоротно и возвращаться не собирается.

Все время, что шёл обыск, Никита Кузьмич находился в прострации. Так же в полубессознательном состоянии он беседовал по телефону с Петровской. Внезапная смерть жены стала для него сокрушительным ударом. Но ещё более страшным и неожиданным ударом было предательство человека, который успел стать ему ближе всех на свете. Влада, его гордость, красавица и умница, оказалась обманщицей и аферисткой. Мало того — убийцей!! Теперь, после вчерашней ночи, Никита Кузьмич не сомневался, что Петровская права: Влада имеет прямое отношение к смерти несчастной Нади. Что-то произошло между ними, о чем та, умирая, пыталась сказать ему. Но что? Владе нужны были деньги, и она их получила. Неужели этого ей показалось мало? Она нагрянула в квартиру неожиданно, полагая, что Никиты нет дома — ведь он сам сказал ей, что уйдет по делам. Хотела найти ещё деньги? Или надежно припрятанные драгоценности? Конечно, старики почти все время дома, при них по шкафам особо не пошаришь. Очевидно, Надежда Сергеевна что-то заметила, заподозрила ее, и тогда Влада хладнокровно столкнула ее со стремянки. А после ей ничего не оставалось как поспешно скрыться с места преступления. Обокрасть их она так и не успела — из квартиры ничего не пропало.

Никита умом понимал, что должен сдать Владу полиции со всеми потрохами, рассказать про Машу, про свою командировку в М. Возможно, как-то удастся выйти на след преступницы, вычислить, где она прячется. Однако сердце его отказывалось верить в то, что Влада — злодейка, и он продолжал упорно молчать. Слава богу, Петровская ни в чем его не заподозрила, сочтя обычным старым маразматиком, которого проще простого обвести вокруг пальца. И то верно — сколько вокруг таких доверчивых стариков, с готовностью сообщающих мошенникам пин-код от пенсионной карты, впускающих в дом воров под видом соцработников и газовщиков, охотно верящих в то, что стали счастливым обладателем выигрыша в очередном лохотроне. Обо всем этом поведал Никите Кузьмичу разговорчивый помощник Петровской, парень по имени Андрей.

Организацией похорон занялся Куролесов, он же обзвонил родных и друзей. Из Берлина прилетела Алла, одна, без мужа и без Рудольфа. Николай не приехал — сказал по телефону, что накануне сломал ногу на горнолыжном курорте и лежит в гипсе в местной больнице. На кладбище пришла пара соседей, две подруги Надежды Сергеевны, племянница Майя, дочь ее рано умершей сестры, и коллеги Никиты Кузьмича с завода. Майя горько и безутешно рыдала, подруги тихо перешептывались и крестились. Хромов вытирал мокрую физиономию и хмурил густые кустистые брови. Остальные маячили молчаливыми тенями, подходили к Никите с соболезнованиями, подносили цветы к гробу.

На поминках все быстро напились, и даже Куролесов — он за эти дни умотался так, что на ногах не стоял. Только Майя, которая на ушко призналась Никите, что в положении, ничего не пила, оставалась трезвой и продолжала лить слезы по умершей тетке…

Пролетела предновогодняя неделя. Новый год Никита Кузьмич и Шоколад встретили вдвоём.

Ёлка, которую так и не распаковали, тихо и печально осыпала в углу свою пахучую хвою. Никита сидел перед портретом Надежды Сергеевны и пил коньяк, закусывая подаренной осетриной, а Шоколад смачно глодал косточку под столом.

Пробили куранты. Никита Кузьмич смахнул набежавшие на глаза слёзы, кряхтя, поднялся из-за стола и, пройдя по коридору, остановился у двери в кабинет. Он постоял немного, кусая губы, затем вошёл. Раскладушка, на которой спала Влада, так и стояла напротив письменного стола. Постель была сбита — оперативники перерыли все, что могло иметь хоть какое-то отношение к подозреваемой. Никита вспомнил, как Влада застилала ее каждое утро, перед тем как уйти в колледж, аккуратно, без единой морщинки и складочки. Он горько усмехнулся: в колледж. Это он, старый дурак, так думал. А куда на самом деле уходила эта подлая обманщица, одному богу известно...

Никита тяжело вздохнул, расправил матрас и одеяло, взбил подушку и покрыл постель покрывалом. Посидел немного, оглядываясь по сторонам... Глупо. Ничего ему здесь не найти — все вещи Влады забрала полиция. Никита втянул носом воздух и почувствовал едва уловимый аромат сирени — так всегда пахли Владины духи. И тут же ему стало невыносимо горько и больно. О чем он думает? Надя мертва, его Надя, женщина, с которой он прожил полвека, которая вырвала его из лап смерти. А он сожалеет о какой-то девке, к тому же причастной к ее гибели! Никита резко поднялся с кровати и вышел из комнаты, громко хлопнув дверью.

12.

«Зима — это худшее, что может случиться в моей жизни. Все вокруг умерло. Я смотрю в окно на белые неподвижные сугробы. Мне кажется, время остановилось. В квартире холод собачий, батареи едва тёплые. Я с утра сижу в пальто, ноги в шерстяных носках. Пью горячий чай, чашку за чашкой, и жду Галку. Она приходит к обеду, и не одна — с ней подружка. Ее зовут Алиса. Они познакомились прошлым летом, Алисина семья недавно переехала в наш городок. Отец у неё военный врач. Я пару раз видела его во дворе — высокий, статный мужчина с седыми висками и чеканным, загорелым лицом. Однажды он подошёл ко мне и спросил, что со мной случилось, почему я не могу ходить. Узнав причину моей инвалидности, сказал, что я, возможно, смогла бы встать на ноги, но нужна операция. Сложная, дорогая операция, ее делают только в Москве. Я только усмехнулась в ответ. Откуда у меня деньги? Моя жалкая пенсия по инвалидности позволяет еле-еле сводить концы с концами. Ну ещё копейки, которые я получаю от своего вязания, но они не в счёт.

Алиса очень милая и добрая девочка. Вообще они с Галкой обе славные, но Алиса нравится мне больше. Во-первых — она очень красивая. Густые, каштановые волосы до плеч, огромные серые глаза в густой щёточке чёрных ресниц. Она ровесница Галки, но кажется намного взрослей и серьезней. Девчонки заходят в квартиру и садятся пить чай. Галка принесла от бабушки изумительные пирожки с капустой. Мы едим пирожки, вишневое варенье и славно болтаем. Галка и Алиса рассказывают мне о школе. О том, как много задают, как Васька Палочкин на химии поджег калий и чуть не взорвал школу. Как директриса Клара Михайловна купила себе новую шубу, а математичку, Софью Федоровну, бросил муж и ещё многое другое. Я внимательно слушаю. Моя тоска отступила на второй план, я даже немного согрелась, так, что отважилась снять пальто и остаться в свитере и спортивных штанах. Галка весело хохочет, кудряшки над её лбом смешно подпрыгивают, кажется, что и веснушки на носу ее тоже. А вот Алиса выглядит грустной.

— Что-то случилось? — спрашиваю я ее.

Она поспешно мотает головой.

— Нет, ничего.

Я смотрю на ее правильное, строгое лицо, упрямо сжатые губы, и меня настойчиво преследует одна мысль. Что, если бы мой ребёнок, моя девочка, смогла бы родиться? Возможно, она стала бы похожа на Алису. Да, она была бы такая же — серьезная, красивая, сероглазая...

Моя девочка, моя малышка. Грудь пронзает острая боль. Я с трудом сдерживаю слёзы, чтобы не испугать девчонок. Мой ребеночек так и не увидел солнца. Он погиб в тот страшный момент, когда мое тело сотряс мощный удар. Кости скрежетали и ломались на мелкие осколки, а моя несчастная малышка задыхалась у меня внутри. Я не помню, как ее вынимали из меня. Все вокруг превратилось в сплошную черноту. А когда наконец забрезжил свет — ее уже со мной не было. Врачи сказали:

— Вы должны благодарить Бога за то, что вообще остались живы. Это чудо, настоящее чудо. Мы вытащили вас с того света.

Я лежала без движения, прикованная к больничной кровати, и мне хотелось крикнуть им: «Зачем? Зачем вы тащили меня с того света? Мне там было бы гораздо лучше, чем здесь. Гораздо!» Но я не могла ни кричать, ни шептать. Даже слез у меня не было, вернее, они таились внутри и жгли меня, как самый яростный огонь, превращая мое сердце в чёрные угли, пока на его месте не образовалось пепелище.

Однажды утром ко мне в палату пришла женщина, молодая и красивая. Она сидела у моей постели, держала меня за руку и говорила, говорила: о том, что нужно жить, несмотря ни на что, что господь сохранил мне жизнь, а значит, для чего-то это было нужно. Я слушала ее мягкий, убаюкивающий голос, и мне хотелось спать. Она приходила ещё и ещё. Я уже знала, что она — психолог, помогает таким бедолагам, как я, смириться со своей участью. Ее звали Лиза. Она втолковывала что-то про высший разум, предназначение, и постепенно мне стало терпимее. Не легче, нет — об этом речь не шла. Именно терпимее. Тихий одинокий ветер задул над моим пепелищем, развеял пепел по воздуху. И я смогла заплакать...

Я выныриваю из чёрного омута воспоминаний. В моей чашке остывает чай. На тарелке остался всего один пирожок. Алиса смотрит на меня внимательно и напряжённо. Я чувствую неловкость.

— Вам, наверное, пора? — спрашиваю я девочек.

Галка кивает и бежит в прихожую одеваться. Алиса медленно идёт за ней следом. Я закрываю дверь на задвижку. Я снова одна. Ёжусь от холода, накидываю на плечи пальто. На сегодня мне ещё нужно выполнить норму по вязанию. Я еду в комнату, беру спицы, клубок. Две лицевые, одна изнаночная...»

13.

Одна за другой катились недели нового года, сначала медленно, не спеша, лениво и вперевалку, затем все быстрее и быстрей. Наконец закончился январь, и новый год перестал казаться новым, став обычным, заурядным годом, с пустой суетой, тщетными ожиданиями и монотонной сменой дня и ночи.

Никита Кузьмич маялся от одиночества. Он не страдал от отсутствия женской заботы, вполне справляясь на кухне, готовя себе незамысловатые завтраки и обеды. Также ему не составляло труда содержать квартиру в чистоте. Но сердце его прочно сковала тоска. Говорить ему было не с кем, разве только с Шоколадом. И он беседовал с ним по утрам, только проснувшись, и по вечерам, прежде чем лечь спать. Рассказывал ему о своей жизни; о том, как учился, как встретил Надю и стал ухаживать за ней. О том, как они поженились, как родились у них ребятишки, как выросли и разлетелись из родного гнезда. И о Маше он тоже рассказывал. Иногда во время таких односторонних бесед из глаз Никиты Кузьмича сами собой катились слёзы. Тогда Шоколад вставал на задние лапы, а передние клал хозяину на колени и ласково лизал ему лицо.

Пару раз в неделю заезжал Куролесов, приносил что-нибудь вкусненькое, тортик или пирожные. Они с Никитой Кузьмичом пили чай в кухне из любимых голубых чашек Надежды Сергеевны. Сашка признался Никите, что неожиданно влюбился и не знает, как теперь быть: бросить жену и двоих детей? Или оставить любовницу? Никита Кузьмич слушал его молча и сочувствовал. Страшное это дело — метаться между двумя женщинами.

Сам же он во время этих разговоров неотступно думал о Владе. Кто она такая? Скорее всего никакая она ему не внучка. Но откуда тогда она могла узнать про их роман с Машей? Что произошло между ней и Надей, и куда она делась после того трагического дня? Сотни вопросов роились у него в голове, и ни на один не имелось ответа. Вернее, ответ был, но он никак его не устраивал. Холодное благоразумие твердило безжалостно и в лоб: Влада — обычная преступница, расчётливая, умелая аферистка, задумавшая их обобрать. Именно так трактовала произошедшее Петровская, продолжая рассылать по всей стране ориентировки на высокую рыжеволосую и кудрявую девушку-воровку.

Но сам Никита Кузьмич не желал верить очевидному. Он цеплялся за каждую мелочь, за любую деталь: вспоминал теплоту во Владином взгляде, когда она смотрела на него, ее ласковые руки, обвивавшие по утрам его шею, ее изумительный голос — зачем бог дал воровке такой голос и талант? От всех этих мыслей у него голова шла кругом. Чтобы как-то отвлечься он занялся весьма необычным делом: достал с антресолей старую гитару, которая лежала там добрых три десятка лет, настроил ее и принялся вспоминать давно забытые навыки. Когда-то у него отлично получалось, но Наде Никитино увлечение не нравилось — она считала его несолидным для столь важной персоны. Сам же Никита Кузьмич втайне мечтал сыграть в какой-нибудь группе или ансамбле в сопровождении саксофона и вокалистов. Но, как говорится, не судьба...

Теперь звуки гитары помогали ему забыться, облегчали невыносимую боль утраты и горечь предательства, да и просто давали силы жить. Поначалу Никита Кузьмич играл лёгкие мотивчики, подбирал любимые в прошлом мелодии или просто упражнялся, разрабатывая закостеневшие пальцы. Когда дело более-менее пошло на лад, он попытался разучить более сложные композиции. Особенно ему хотелось воспроизвести песню, которую пела Влада в тот памятный день их знакомства. Он примерно помнил мелодию, но вот с гармониями было сложней. Тем не менее Никита Кузьмич каждый вечер упорно наигрывал полюбившийся мотив, и постепенно у него стало вырисовываться довольно сносное сопровождение. Шоколад был единственным слушателем и поклонником его творчества — едва Никита доставал из чехла гитару, пёс подходил, садился напротив и внимательно смотрел на хозяина умными блестящими глазами-бусинами. Иногда он слегка подвывал в такт музыке, чем приводил Никиту Кузьмича в восторг.

— Ты мой музыкальный пёс, — ласково говорил он и трепал Шоколада по холке.

Так незаметно миновала зима, пришёл март. Вокруг ещё лежали сугробы, но день заметно увеличился, стало солнечно и светло. В воздухе отчетливо запахло весной, ледяные ветра сменились тёплыми и влажными, по небу весело носились кудлатые облака, с козырька подъезда свешивались длинные прозрачные сосульки, похожие на худые, изъеденные артритом пальцы старухи-зимы...

В один из таких свежих и ясных дней Никита Кузьмич умудрился простыть, да не просто так, а с высокой температурой и изнурительным сухим кашлем. Врач из поликлиники сначала поставил ОРВИ, прописал горячее питье и покой. Но кашель все усиливался, а температура никак не желала спадать. Никиту Кузьмича погнали на рентген, и обнаружили у него левостороннюю пневмонию.

— Срочно в больницу, — вынес вердикт врач.

Никиту прямо из кабинета увезли на «Скорой». Чувствовал он себя из рук вон плохо. Перед глазами все плыло, сердце невыносимо тянуло, грудь болела и саднила. Его положили в палату, куда через полчаса примчался Куролесов.

— Ну ты что, дед! Чего это ты задумал? Весна на дворе, а ты — в больницу.

— Собака... — с трудом прохрипел Никита Кузьмич. — Пса... забери... его кормить некому, и гулять с ним... тоже.

— Да что ты о собаке! Все в порядке с ней будет. Ты о себе волнуйся. — Сашка заботливо потрогал лоб Никиты Кузьмича и сокрушенно покачал головой. — Как кипяток. Может, тебя того, в другую больницу перевести? Крутую какую-нибудь. Я с Хромовым поговорю, он похлопочет.

— Не надо другую, — просипел Никита и закашлялся. — Здесь хорошо. И доктор нормальный.

— Когда ты успел заметить, что нормальный? — Куролесов скептически поджал губы. — Ты тут и часу не находишься.

— Успел, — угрюмо пробурчал Никита, — он только что заходил, перед тобой. Не хочу никуда, здесь останусь.

— Ну здесь, так здесь, — сдался Куролесов и пошёл беседовать с врачом.

Поправлялся Никита Кузьмич долго и тяжело. Проклятая температура никак не хотела падать, кашель разрывал лёгкие, в голове был туман, и все время хотелось пить. Его регулярно навещали: Куролесов, Майя — уже с огромным животом, сосед Виктор Петрович. Приехал и сын, Колька. Нога зажила, но он ощутимо хромал. Он сидел возле постели отца, и по его лицу текли слёзы.

— Жалко мамулю, — бормотал он. — Как жалко! Нелепый случай, могла бы жить да жить.

Никита смотрел на сына — под глазами морщинки, в волосах седина. Когда он успел так постареть? А дочь — та ещё на пять лет старше. Ему снова вспомнилась Влада, ее юное, розовое, свежее личико, блестящие глаза, веселый и звонкий смех...

— Ты давай, батя, поправляйся. — Колька погладил Никиту Кузьмича по одеялу. — Если нужно что, дай знать.

— Ничего не нужно, все у меня есть. Ты лучше на могилу к матери сходи. Там сейчас все таять начнёт, надо убраться, а я тут застрял.

— Съезжу, не вопрос, — кисло проговорил Николай и стал прощаться.

Температура пошла на спад только спустя полторы недели. Врачи беспокоились, как бы у Никиты не случился новый инфаркт, но Бог миловал — сердце его хоть с трудом, но скрипело и останавливаться не собиралось. Еще неделю он провалялся, окончательно приходя в себя, глотая опостылевшие таблетки и подставляя многострадальный зад под уколы, и вышел из больницы только в самом конце марта, когда снег уже почти растаял.

Куролесов привёз его домой, по дороге заскочив в магазин и купив два увесистых пакета продуктов. При виде пустой квартиры у Никиты Кузьмича болезненно сжалось сердце. После больницы он почувствовал себя ещё более осиротевшим. Сашка оставил его в комнате, а сам принялся хлопотать на кухне. Вскоре оттуда вкусно запахло жареной картошкой. Никита Кузьмич обожал картошку во всех видах, вареную, с маслом и лучком, жареную, тушенную в сметане, и Надежда Сергеевна часто готовила ему ее... На мгновение Никите почудилось, что жена вот-вот заглянет в комнату и скажет ласково: «Иди, батюшка, кушать подано».

Но вместо этого в дверях возникло лицо Сашки.

— Кушать подано, идите жрать, пожалуйста, — важно изрёк он.

Никита Кузьмич вздрогнул и стряхнул с себя наваждение. Он ковырял вилкой поджаристые ломтики картофеля, слушал неумолкаемую Сашкину трескотню, и ему хотелось одного: чтобы тот поскорее ушёл. Наконец Куролесов распрощался и, взяв с Никиты слово, что он будет крайне осторожен, станет хорошо питаться и тепло одеваться, скрылся за дверью. Никита Кузьмич вздохнул с облегчением и отправился в спальню. Там он вытащил из шкафа гитару, уселся в своё любимое кресло и весь остаток вечера наигрывал грустные, меланхолические мелодии.

14.

«Наконец-то весна! Она пришла неожиданно, когда уже и не верилось, что когда-нибудь растают эти огромные сугробы, похожие на льды, в которых утонул «Титаник», что свирепые метели устанут стучать в окно по ночам, а чёрная мгла за стеклом сначала нальётся молоком, точно разбавленный кофе, а затем на глазах начнёт светлеть. И вот это произошло. Первыми, кто возвестил приход весны, были воробьи, которые отчаянно и звонко зачирикали у нас во дворе. Сначала я услышала их, а потом и увидела: они яростно дрались под березой за хлебные крошки, наскакивая друг на дружку и пытаясь оттеснить в сторону. Они выглядели так смешно, что я невольно заулыбалась и спустила целых три петли.

Вот так идиотка! Вчера целый день вязала, почти закончила, а сегодня не могу заставить себя взяться за работу. В голове ветер и какое-то странное настроение. Тянет петь и одновременно плакать — разреветься, громко, в голос, как в детстве. За окном солнышко сияет, и мне так хочется туда: подставить под его лучи лоб и щеки, наступить в лужу на тротуаре, синюю оттого, что в ней отражается небо. Хочется, хочется...

Я откладываю в сторону вязание. Ну его к черту! Эти надоевшие до смерти шарфы и рукавицы. Разве стала бы я заниматься этим, не будь того страшного дня? Нет, я мечтала совсем о другом. Свет прожекторов, сцена, глаза зрителей, направленные на меня, только на меня одну. Я выхожу из-за кулис, в красивом, блестящем платье, не спеша кланяюсь и иду к роялю. Сажусь за него, и зал замирает. Он видит только мои руки, неподвижно застывшие на клавишах. Он ждет. Я делаю глубокий вздох. Мои пальцы осторожно трогают клавиатуру. Первые робкие аккорды. Они точно нащупывают невидимые нити, из которых рождается дивной красоты мелодия. Она моя, эта мелодия, лишь моя, рожденная в самой глубине сердца, посвященная тому, кто мне дороже всего на свете.

Я чувствую, как слушает зал. Ни шороха, ни скрипа. Никто не кашляет, не шепчется. Все превратились в единый организм, который жадно впитывает в себя звуки рояля. И я играю, играю, ощущая себя непростительно счастливой...

За окном громко каркает ворона. Я вздрагиваю и спускаюсь с небес. Что-то замечталась я, ни к чему хорошему это не приведет. Зачем растравливать себя в очередной раз? Мои пальцы давно забыли ощущение клавиш. Они всегда холодные, а для того, чтобы играть, нужно, чтобы руки были теплыми, почти горячими. Да и сама я почти не помню волшебную мелодию. Зато знаю, как считать петли — и в этом есть высший смысл.

Ни о чем не нужно жалеть. Так говорила мне психолог Лиза. Она права. Теперь я хорошо ее понимаю. Прошлого уже нет, будущего еще нет. Есть только сегодняшний день, синяя лужа на асфальте, дерущиеся во дворе воробьи, мокрая кора березы. А еще — у меня есть Галка и Алиса, есть окно, в которое видно капельку большого мира. Есть спицы и мохнатый клубок шерсти. А спущенные петли мы сейчас подправим: «две лицевые, одна изнаночная, две лицевые... одна...».

15.

Никита Кузьмич старался выполнять обещания, данные Куролесову. Он соблюдал режим, рано ложился, полноценно питался и добросовестно заматывал шею тёплым шарфом, перед тем, как идти на улицу. Однако чувствовал он себя по-прежнему неважно. Кашель так до конца и не прошёл, и по вечерам его немного лихорадило. Он сильно похудел, и его любимый свитер, некогда связанный Надеждой Сергеевной, стал болтаться как на вешалке. Шоколад же, напротив, здорово подрос, окреп и выглядел превосходно. Шерсть его сияла и лоснилась, глаза весело блестели, он оглушительно лаял на всю квартиру, едва заслышав шум за дверью, и все время рвался гулять. Никита Кузьмич, превозмогая немощность, выходил с ним на бульвар дважды в день. Иногда к ним присоединялся пожилой сосед-собачник с суетливым и злобным мопсом на поводке. Тот тоже недавно овдовел, и им с Никитой было что обсудить. Они медленно брели по тротуару и горестно сетовали на несправедливую жизнь.

В одну из таких прогулок у Никиты Кузьмича зазвонил телефон. Он глянул на табло — незнакомый номер.

— Я слушаю, — произнёс Никита в трубку и тут же закашлялся.

— Это Петровская, — раздался знакомый, прокуренный голос.

— Не ожидал, что это вы, — отдышавшись, произнёс Никита Кузьмич. — Телефон другой. Чему обязан?

— Это мой новый номер, — спокойно проговорила Петровская. — Никита Кузьмич, я звоню вам сказать, что дело закрыли за недостатком улик.

— Как закрыли? — Никита против воли почувствовал невероятное облегчение и тут же его охватил жгучий стыд. — Как это закрыли? — нарочито возмутился он. — Почему?

— Начальство сочло, что это типичный «висяк». У нас ни имени предполагаемой преступницы, ни нормального портрета. Нигде по ориентировкам ее не опознали. Доказательств экспертизы, что вашу жену именно столкнули, а не она сама упала, тоже нет. Поэтому вот так. — В трубке послышался вздох. Это было так нетипично для Петровской, что Никита даже остановился. Шоколад нетерпеливо гавкнул.

— Ну... понятно... — протянул Никита Кузьмич неопределённо.

— Да что вам понятно? — раздраженно произнесла Петровская. — Я-то уверена, что именно Свиристелкина, или как там ее по-настоящему, виновница гибели вашей супруги. И я буду искать ее, что бы мне ни говорили. Но вам я обязана озвучить официальное положение дел. Всего хорошего.

В ухо Никите грянули злобные гудки.

— Кто звонил? — с любопытством проговорил сосед.

— Следователь. По делу Нади.

— Вон как. — Тот почтительно надул щеки. — И что сказал?

— Сказала, — поправил Никита Кузьмич. — Это женщина.

— Едрить твою мать, — выругался сосед. — Значит, теперь и в ментовке бабы заправляют! Так что она хотела от тебя?

— Ничего. Дело закрыли.

— Стало быть, не будут больше искать вашу жиличку?

Мужик знал про Владу, но немного. Для него она также была не внучкой Никиты, а квартиранткой. Тогда, осенью, Никита Кузьмич не успел похвастаться соседям, что у него есть внучка, чему теперь был только рад.

— Не будут искать, — подтвердил он и двинулся дальше по бульвару.

16.

Стало совсем тепло. Шарф пришлось убрать на полку, зимнее пальто повесить в шкаф, а ему на смену достать лёгкую болоньевую куртку. Самочувствие Никиты Кузьмича наконец пришло в норму настолько, что он попросил Сашку свозить его на дачу. Сидя в любимом кресле-качалке и наблюдая за тем, как с восторгом носится по участку Шоколад, Никита Кузьмич с горечью думал о своих неосуществившихся планах. Нет ни Нади, ни Влады. Для кого теперь эти хоромы — огромная веранда, гостиная с камином, выложенный плиткой двор, аккуратный газон, по которому так упоительно бегать в жаркий летний денёк?

Никита Кузьмич закрыл глаза и постарался представить, где сейчас Влада и чем она занимается. Ведь должна же она где-то быть, черт бы ее побрал, не могла же она испариться без следа! А вдруг ее бойфренд, этот скрипач из перехода наврал следствию и на самом деле знает, куда сбежала его подружка? Может, даже он был в курсе ее преступных замыслов или вовсе являлся сообщником?

Никита настолько увлёкся этим предположением, что ему пришла в голову совершенно безумная идея: съездить на Арбат и попробовать найти парня. Объяснить ему, что он — не Петровская, не станет вредить Владе. Надю уже не вернёшь, а сам он от одиночества скоро просто сойдёт с ума. Возможно, эта мысль посетила бы Никиту и раньше, но проклятая болезнь начисто лишила его сил. И вот теперь, наконец, он почувствовал, что готов к решительным действиям.

Назавтра он сел в такси и поехал в центр. Возле «Арбатской» было шумно и людно. Из перехода раздавались знакомые звуки саксофона, им вторила скрипка. Никита Кузьмич невольно прислушался, ожидая, что случится чудо и он услышит голос Влады. Но его не произошло — музыканты играли без вокалистки. Он подавил вздох и спустился по ступеням.

Кругом толпился народ. Маленький скрипач был тут как тут, тискал скрипку длинными, нервными пальцами, периодически закатывая глаза. Никите он показался манерным до омерзения. Наверняка это он все затеял, толкнул Владу на кривую дорожку! Она сопротивлялась, ссорилась с ним. Но видимо, было у неё к этому недомерку какое-то чувство — иначе бы давно послала его подальше.

Никита Кузьмич протиснулся поближе к музыкантам. Его оглушила барабанная дробь, но он стоял и терпеливо слушал, дожидаясь, пока в выступлении наступит пауза. После нескольких номеров гитарист, высокий прыщавый длинноволосый парень, взял микрофон.

— Друзья, спасибо, что вы сегодня здесь, с нами, — проговорил он неожиданно приятным и бархатистым тенорком.

Публика в ответ зааплодировала.

— Мы хотим сейчас сыграть вам что-то особенное. То, что вам очень понравится.

— Да-а! — загудела толпа. — Даёшь новое!

— Это композиция, сочиненная одной девушкой. Она пела здесь с нами осенью, а потом исчезла. Ее звали Влада.

Никита Кузьмич вздрогнул и впился взглядом в гитариста. Тот подмигнул друзьям, тряхнул челкой и заиграл. Никита сразу узнал свою любимую мелодию — ту, которую он подбирал все это время, и она хоть немного облегчала его страдания. Саксофон вёл трогательную линию, скрипка пела женским голосом.

Никита был потрясён до глубины души. Вон, значит, как — эту прекрасную музыку сочинила сама Влада! Почему же она не сказала ему об этом? Отчего поскромничала? Он почувствовал, что ему трудно дышать. По лицу текли слёзы. Несколько человек рядом с удивлением обернулись на него. Мелодия закончилась постепенно, точно растаяла в вечерней дымке.

— Небольшой перерыв, — объявил гитарист.

Никита очнулся и бросился к ребятам.

— Здравствуйте! Мне нужно поговорить с вами. Те с недоумением уставились на него.

— А я вас знаю, — неожиданно произнёс скрипач. — Вы приходили слушать Владу, давно, в сентябре, кажется. С вами ещё была женщина, кудрявая такая.

Никита Кузьмич опустил голову:

— Это моя жена. Она умерла.

— Да вы что? — опешил скрипач. — Примите наши соболезнования.

Вблизи он не казался таким манерным — обычный паренёк, лицо открытое и усталое.

— Так о чем вы хотели с нами поговорить? — мягко спросил он у Никиты.

— О Владе. Куда она делась?

Скрипач вздохнул:

— К сожалению, этого никто не знает.

— К нам приходили из полиции, — вступил в разговор гитарист. — Говорили, что она в чем-то замешана. Вроде какая-то женщина, у которой она жила, погибла, и ее чуть ли не подозревают... — Он вдруг остановился на полуслове, глаза округлились. — Погодите, так это... это и есть ваша жена? Это у вас Влада жила?

Никита молчал кивнул.

— Ужас какой, — произнёс саксофонист, до этого молча пивший чай в стороне. — Влада не могла этого сделать. Я вам за неё головой ручаюсь.

— А сюда вы зачем пришли? — спросил скрипач, и лицо его вдруг стало неприветливым. — Думаете, мы сдадим вам Владку? Мы же все уже сказали ментам — нам даже фамилия ее неизвестна.

— Вы не поняли, — заволновался Никита Кузьмич. — Я не собираюсь ей мстить. И в полицию ее не сдам. Я... я верю, что она ничего дурного не хотела. И я... скучаю по ней. Прошу вас, помогите! Помогите найти ее.

— Шурик правду сказал, — гитарист кивнул на скрипача. — Мы действительно ничего про неё не знаем. Она просто однажды не пришла на концерт, и больше мы ее не видели.

— Но ведь у него... — Никита кивнул на скрипача, — был с ней роман. Он должен знать!

— У меня? Роман? — Парень грустно рассмеялся. — Да вы что? Издеваетесь? Стала бы такая девушка, как Влада, смотреть в мою сторону!

— Она звонила вам, я слышал. И видел, что она пошла за вами, тогда, после концерта.

— Глупости, — скрипач решительно покачал головой. — Вовсе она не за мной пошла. И мы практически не созванивались, вы что-то путаете. — Лицо его сделалось непроницаемым. Он отвернулся от Никиты и принялся настраивать скрипку.

«Врет, — с тоской подумал тот. — Ежу ясно, что врет».

— Шурик прав, — подтвердил саксофонист и кинул пустой стаканчик в урну. — Они с Владой никогда не встречались. И... простите, нам пора играть. Публика ждёт.

Вокруг действительно собирался народ. Никита Кузьмич беспомощно огляделся по сторонам. Он не знал, как быть. Если бы можно было рассказать все Петровской: про телефонные переговоры Влады, ее плохое настроение в тот последний месяц, про то, как этот противный парень-скрипач делал вид, что собирает футляр, а на самом деле ждал ее. Уж она сумеет вытрясти из него правду! Но этого делать ни в коем случае нельзя. Петровская, если найдёт Владу, тут же отправит ее за решетку...

Никита Кузьмич тяжело вздохнул и пошёл к лестнице.

— Эй, уважаемый! — раздался за его спиной низкий хрипловатый голос.

Он оглянулся и увидел высокого бритоголового парня в татуировках.

— Вы меня? — с удивлением спросил Никита.

— Вас. Вы, я так понял, ищете девушку, певицу, рыжую такую. Верно?

— Ну... да. — Никита Кузьмич с недоверием поглядел на парня.

Его лицо показалось ему смутно знакомым. Ну да, он был в переходе во время концерта, ещё похвалил Владу, как она поёт. — Вы знаете Владу? — с робкой надеждой спросил Никита Кузьмич. — Куда она уехала? Она сказала вам?

Парень в ответ хмыкнул.

— Влада? Я понятия не имею, как ее зовут. И я с ней вовсе не знаком, просто слушал ее пару раз здесь, в переходе. Мне понравилось. Классно пела, а потом пропала. Я здесь почти каждый день хожу — живу недалеко. Нет ее и нет. Я уж забыл, а тут на прошлой неделе вдруг вижу ее совсем в другом месте, на окраине. Поёт себе, ещё лучше прежнего. Чего, спрашивается, ушла из такого места козырного в какую-то дыру?

Никита слушал, не веря своим ушам.

— Не может быть! Вы придумываете.

Сердце у него бешено стучало. Парень обиженно надул губы.

— Вот ещё! Очень мне надо придумывать. Точно говорю, ваша рыжая поёт возле станции МЦК «Коптево» — по крайней мере в прошлую пятницу она точно там была.

Не дожидаясь ответа, бритоголовый повернулся и зашагал в противоположную от Никиты сторону. Тот хотел было окликнуть его, но слова застряли у него в горле. В это время ударили барабаны, переход заполнили звуки саксофона и скрипки. Никита Кузьмич поспешно поднялся по ступенькам. Его трясло от возбуждения.

Неужели бритый не наврал и Влада в Москве? Но почему ее до сих пор не нашли? И как она не боится?! Пока он раздумывал об этом, ноги сами понесли его в метро. Зайдя в стеклянные двери, он долго разглядывал схему, стараясь понять, как быстрее добраться до «Коптево». Выходило с двумя пересадками через «Парк Победы».

Если бы Сашка Куролесов узнал, что его приятель собирается проделать путь на своих двоих через весь город, он схватился бы за голову — после больницы Никита дальше бульвара и носа не совал, не считая поездки на дачу. Однако отступать было поздно — из туннеля показался поезд. Никита Кузьмич шагнул в переполненный вагон, и его тут же сдавили со всех сторон. С непривычки он стал задыхаться, лоб покрылся испариной. Слава богу, ехать было всего пару остановок. Та же толпа вынесла его на платформу и повлекла к переходу. На другой ветке было посвободней, и Никита Кузьмич немного успокоился, а когда пересел на МЦК, ему и вовсе сделалось легко и хорошо. Он ехал в «Ласточке» впервые, и ему очень нравилось: поезд скользил по рельсам совершенно бесшумно, за окном мелькали разнообразные пейзажи, а не трубы тоннеля, вместо жестких сидений — мягкие кресла с подлокотниками.

Никита доехал до Коптева, вышел на перрон и остановился в раздумьях. Напрасно он не спросил парня, где именно тот видел Владу и в котором часу. Припереться сюда наобум было довольно глупо. Вокруг сновал народ, люди спешили домой после рабочего дня. Лица у всех были серьёзные, усталые и отрешённые. Он попробовал спросить у пары прохожих о девушке, поющей джаз где-то поблизости, но все только бросали на него недовольные взгляды и качали головами. Никита, не спеша, прошёл по переходу, выбрался на улицу, обошёл вокруг станционного здания — никаких следов Влады. Ему стало досадно и стыдно: старый дурак! Поверил тому, что сказал какой-то сомнительный тип, потащился на другой конец города. Теперь нужно брать такси до дома — на метро ему обратно не доехать. Мало того что его после больницы укачивает в машине, так ещё путешествие влетит в копеечку. Никита Кузьмич на всякий случай ещё послонялся возле входа на МЦК, а затем не солоно хлебавши вызвал такси и поехал домой.

Вечером на него накатила хандра. Стало так хреново, что жить не захотелось. Зачем этот бритый парень подарил ему напрасную надежду найти Владу? Он уже почти смирился с тем, что никогда ее не увидит, а теперь сердце вновь превратилось в сплошную кровоточащую рану. Никита Кузьмич настолько пал духом, что даже не замечал Шоколада, ходящего кругами возле его ног. Пёс жалобно поскуливал, всем своим видом выражая сочувствие хозяйскому горю. Когда он в очередной раз остановился и тихонько гавкнул, Никита пришёл в себя.

— Ну чего ты. — Он погладил пса по шёрстке. — Не плачь. Одни мы с тобой остались, никому не нужные. Эх, Влада, Влада, что ты натворила! Зачем так, девочка, зачем?

Никита Кузьмич, шаркая, как девяностолетний старик, прошёл в кухню, насыпал в собачью миску корм и сел на табурет, наблюдая, как ест Шоколад. Тот чувствовал себя не в своей тарелке, то и дело поглядывал на Никиту, словно извинялся за то, что может принимать пищу в такой ситуации. Никита встал, так же тяжело прошаркал к плите, сварил себе гречку на воде. Есть ему не хотелось, но он понимал, что нужно как-то поддержать организм — последний раз он ел в десять утра, а сейчас было девять вечера. Жуя безвкусную, несоленую кашу, он думал о том, видит ли его сейчас Надя. Если да, то как относится к тому, что он разыскивает Владу? Считает ли его предателем или понимает, как ему тяжко и одиноко? Должна понять, ведь она всегда понимала его. Прощала ему мелкие грешки, порой несдержанный тон, позже, после болезни, ворчливость и брюзжание. Никита в глубине души всегда считал, что уйдёт первым. Вспыльчивые люди долго не живут, а он был в высшей степени взрывным. Надя — совсем другая, спокойная, терпеливая, выдержанная... и вот ее нет. Из-за какой-то дурацкой стремянки, из-за корыстной, лживой девчонки, решившей разбогатеть быстро и без труда! А он, Никита, готов простить ей смерть самого близкого человека, лишь бы снова видеть ее и слушать ее изумительный голос...

Никита Кузьмич решительно отодвинул тарелку и встал. Шоколад тоже поднял морду от кормушки и навострил уши.

— Я поеду туда снова, — твёрдо сказал ему Никита. — Завтра поеду. И послезавтра. Буду искать ее там, пока не найду. Даже если ее там нет и никогда не было — все равно буду ездить и ждать. Все равно.

Шоколад согласно гавкнул в ответ.

17.

Утром Никиту разбудил телефонный звонок.

— Я ушёл от жены, — звенящим от возбуждения голосом доложил в трубку Сашка.

Со сна Никита Кузьмич сначала не понял, о чем он говорит.

— Как ушёл? Куда? — пробормотал он и откашлялся.

— Что значит куда? Я же говорил тебе! К ней, к Лене, ушёл! Решил, так будет правильней. И честней.

— Погоди ты, малохольный. — Никита, кряхтя, сел на постели. — У тебя ж двое детей! Ты что, паршивец этакий, творишь?

— Ну и что дети? Я же не отказываюсь от них. Буду помогать, и деньгами, и так. — Сашка явно ждал от Никиты поддержки и одобрения.

Никита молчал, раздумывая. Перед его глазами стояла Маша. Влада тогда правильно сказала: он любил ее. Не так, как Надю, а как-то ярче, что ли, пронзительней. Но ведь не ушёл! Хотя и Алка к тому времени институт оканчивала, и Колька был уже большим парнем-десятиклассником.

— Что молчишь? — с укором проговорил Куролесов. — Обвинять все горазды. Ты же мне друг.

— Друг, — подтвердил Никита Кузьмич.

— Ну так и помоги, если друг. Скажи что-нибудь хорошее.

— Погода сегодня солнечная, — мрачно проговорил Никита, глядя в окно.

— Тьфу на тебя, — в сердцах произнёс Куролесов и бросил трубку.

Никита Кузьмич пожал плечами, положил телефон на тумбочку и, сунув ноги в тапочки, отправился в ванную. Он стоял под прохладным душем и планировал предстоящий день. Без сомнений, он едет в Коптево! Неизвестно, в какое время поёт там Влада, может, вечером, а может, утром или днём. Он намерен провести там весь день, обойти окрестности, короче, сделать все, чтобы обнаружить ее.

Оттого, что он принял решение, ему стало вдруг на удивление спокойно. Усталости и разбитости как не бывало. Он с аппетитом съел собственноручно приготовленную яичницу с ветчиной, выпил свежезаваренного чая и пошёл гулять с Шоколадом. Погода действительно стояла отличная. Светило солнышко, на деревьях набухли почки, под ногами весело бурлили ручейки. Никита бодро вышагивал по бульвару, крепко сжимая в руке поводок. Шоколад чинно трусил рядом, изредка тявкая на обнаглевших воробьев, мелькавших прямо под его носом. Выгуляв пса, Никита Кузьмич вернулся в квартиру, немного отдохнул, пообедал, затем заказал такси и отправился пытать счастья в Коптево.

На этот раз он решил не поддаваться эмоциям и не спешить. Спокойно вышел на улицу, дважды обошёл павильон МЦК, затем пересёк дорогу и заглянул в небольшой кафетерий, примостившийся прямо на автобусной остановке. В крошечном, слабо освещённом зале было пусто. За прилавком стояла девушка лет двадцати пяти, с плохо прокрашенными волосами и симпатичным, но усталым и грустным лицом. Она вяло орудовала тряпкой, протирая потемневшую от времени столешницу.

— Вы что-то хотели? — приветливо спросила она у Никиты.

— Я хотел спросить. Вы ведь здесь каждый день работаете?

— Да, даже в выходные. — Продавщица печально вздохнула. — А что?

— Скажите, вы никогда не видели здесь уличных музыкантов? Ну, гитариста, к примеру, барабанщика. И с ними девушка-певица, высокая такая, рыжеволосая.

— Ой, рыжую девушку видела, — оживилась продавщица. — Она у нас тут в усадьбе Михалково поёт.

— Где? — Никита не мог поверить своей удаче. — В какой усадьбе?

— Михалково. Вот, прямо за нашим кафе каменная арка, там как раз усадьба и начинается. Они в глубине, на аллее стоят. Каждый день, часов с шести. Я как раз через парк домой иду в восемь, и они там ещё играют. А вам зачем? — Девица с любопытством уставилась на Никиту Кузьмича.

— Понимаете... — Тот замялся и неожиданно для себя выпалил: — Внучка она моя. Из дома ушла, вот и разыскиваю.

— Как интересно! — всплеснула руками продавщица. В глазах ее зажегся живой огонёк. — Вот бы меня мой дед искал.

— Ваш дед? — удивился Никита Кузьмич. — Зачем ему вас искать? Разве вы тоже убежали из дому?

— То-то и оно. — Девушка сделала знак Никите приблизиться и, наклонившись к нему, произнесла заговорщицким тоном: — Убежала я! На поезде уехала из Рязани от бабки с дедом. Достали они меня, пилят и пилят. Сирота я, мамки с папкой нет и не было. А они пилят. — Она жалобно шмыгнула носом.

Никита растерянно молчал, не зная, как ответить на такое неожиданное признание. Продавщица меж тем смотрела на него, явно ожидая сочувствия.

— Что ж твой дедушка, не звонит тебе? Не пишет? — неуверенно поинтересовался Никита Кузьмич.

— И звонит, и пишет, — с готовностью отозвалась девушка. — Да толку! Он же только ругается и угрожает. Вот если бы он, как вы, приехал, да ходил везде, спрашивал обо мне... эх... — Девчонка безнадёжно махнула рукой.

Никите стало ее жаль.

— Да деду твоему ещё повезло, — проговорил он с грустью. — Он тебе позвонить может. А моя... — Он запнулся, но все же вымолвил: — Моя внучка телефон выключила. Ищи ее свищи.

— Это внучке вашей повезло! Вы такой добрый дед, любящий. Сразу видно, души в ней не чаете. — Продавщица облокотилась о прилавок, подперев ладонями подбородок, и, улыбаясь, глядела на Никиту Кузьмича. — Может, чебурек возьмёте? У нас хорошие, все берут.

— Нет, спасибо. — Он тоже улыбнулся ей. — Мне чебурек нельзя, печень не выдержит.

— Ну тогда ватрушку? Вкусную, с творогом и повидлом. А я вам кофейку налью.

— Спасибо. Пойду я. — Никита Кузьмич взглянул на часы.

Было без четверти пять. Кто знает, может, Влада в этот раз надумает начать пораньше.

— Ну счастливо вам. До поворота дойдёте, там и увидите. — Девушка помахала Никите рукой и со скучающим видом вновь принялась протирать прилавок.

Никита Кузьмич вышел на улицу и огляделся. Действительно, прямо за зданием кафешки виднелась арка из красного кирпича, за которой начинался дикий парк. Никита, не раздумывая, направился туда, по пути напряжённо вслушиваясь, — но никаких звуков музыки слышно не было. Он дошёл по тропинке до поворота и остановился в растерянности, не зная, куда идти. Вокруг не было ни души, только деревья и голые кусты боярышника. Никита недоумевал: трудно найти более неподходящее место для выступления. Он пошарил глазами кругом, и взгляд его упёрся в обшарпанную деревянную скамейку. Ничего не оставалось, как сесть на неё и ждать.

Где-то совсем близко шумело шоссе, слышались голоса. Никита Кузьмич терпеливо сидел, поджав под себя ноги и ёжась от вечерней прохлады. А вдруг Влада сегодня не придёт? Или он снова ошибся и явился не в то место? Или это вообще не Влада, а другая рыжеволосая девчонка, не имеющая к ней никакого отношения? Мимо Никиты Кузьмича прошмыгнула тощая кошка, рыжая, с белой мордочкой. Она остановилась напротив скамейки, глянула на него зелёными глазищами, мяукнула жалобно и нырнула в кусты.

Вдалеке послышался весёлый смех. На тропинку вышла ватага парней. Они прошли мимо Никиты, обсуждая какого-то препода по фамилии

Семёнов. «Судя по возрасту, студенты какого-нибудь колледжа», — решил он. Ему стало поспокойней — значит, не такое тут безлюдье, вон народ ходит. Нужно ждать. За студентами прошли две женщины средних лет с большими сумками, за ними мужик с овчаркой. Никита уже совершенно замёрз и стал опасаться, как бы снова не подхватить воспаление легких. Он, как мог, запахнул куртку, поднял воротник и надвинул капюшон. На часах была половина седьмого. Он сидит тут почти час, а толку ноль.

Едва он так подумал, как раздалось бряцание гитары. Никита Кузьмич вскочил и кинулся в кусты. Из-за поворота вышло трое: высокий, худой паренёк в очках, с гитарой наперевес, толстяк в кожанке с огромной спортивной сумкой, и девушка. При взгляде на неё у Никиты ёкнуло сердце. Влада! Это была она! Без всякого сомнения — длинные рыжие кудри за ее спиной развевались на ветру, одета она была в рваные джинсы и яркую голубую куртку. Худой гитарист что-то сказал ей на ухо, и она громко засмеялась. «Вот подлая твоя душа, — подумал Никита Кузьмич. — И какое нахальство! Знает, что ее разыскивают, и нисколько не боится». Он продолжал наблюдать за ребятами, прячась за ветками и сдерживая дыхание.

— Сюда, — велел пухлый.

Он остановился невдалеке от той скамейки, где недавно сидел Никита Кузьмич, с облегчением скинул сумку на землю и раскрыл молнию. В сумке оказались клавишные и колонки. Парни быстро и ловко подключили аппаратуру. Влада меж тем пробовала микрофон.

— Раз, раз. Раз, два, три...

Вокруг уже собрался народ, непонятно откуда взявшийся. Скамейка тут же оказалась занятой. Кто-то пристроился прямо на корточках, на земле. В основном слушатели были из числа тех же студентов — очевидно, поблизости был какой-то колледж или институт. Ребята курили, хлебали пиво из жестянок и оживленно переговаривались между собой. Толстяк взял у Влады микрофон.

— Раз, раз... добрый вечер, дорогие друзья! Мы рады снова видеть вас здесь.

В ответ донёсся одобрительный свит и крики.

— Сегодня мы споём вам наши старые композиции, но кроме них будет ещё и несколько новых, которые вы ещё не слышали.

— Вау! — зашумела публика.

Никита Кузьмич пробрался сквозь кусты поближе. Он не боялся, что Влада заметит его — на всей импровизированной концертной площадке светил один-единственный тусклый фонарь. Зрение у Никиты Кузьмича, несмотря на возраст, было отличным, и он пожирал глазами Владу. Музыканты заиграли: тощий на гитаре, толстяк на клавишных. Влада тряхнула своей роскошной гривой и запела. Никита почувствовал, как теплеет на душе. Как же долго он не слышал этот восхитительный голос! Кажется, Влада за это время распелась ещё лучше. Раньше ей особенно удавались низы, а теперь ее голос звенел и на верху, точно серебряный колокольчик. У Никиты дух захватило от восторга. В этот момент он совершенно позабыл, что Влада повинна в гибели Надежды Сергеевны. Он мог думать лишь о том, что снова не одинок. Пусть эта рыжая девчонка — не его внучка, а самозванка, все равно она ему сейчас самая близкая и родная на всем свете.

Музыканты играли и играли. Влада пела своим упоительно чистым голосом. Публика вопила от восхищения и хлопала, не жалея ладоней. Никита давно согрелся, более того, ему стало жарко, и он расстегнул куртку. Теперь он мечтал лишь об одном — чтобы концерт окончился и он смог бы подойти к Владе. Он стал опасаться, что она, увидев его, убежит, и догнать ее ему будет не под силу.

Ребята пели без перерыва почти два часа. Скверик постепенно пустел, подростки расходились. Под конец остался лишь Никита Кузьмич и шумная компания подвыпивших девчонок.

— Все, харе, — произнёс толстяк и выключил клавиатуру. — Дамы, пора по домам.

Девицы в ответ визгливо захохотали. Он, не обращая на них внимания, принялся собирать аппаратуру. Гитарист снова что-то шептал на ухо Владе. «Новый кавалер», — подумал Никита Кузьмич с одобрением. Парень нравился ему гораздо больше, чем слащавый скрипач. Влада тихонько хихикала, слушая гитариста, и кокетливо трясла рыжими кудрями. Наконец и девчонки ушли, оставив запах перегара и табачного дыма.

— Я готов, — сказал толстяк и посмотрел на сладкую парочку. — Идём?

— Да, пошли, — отозвалась Влада. — А то уже ноги отваливаются.

Она обняла гитариста за плечи, а он ее за талию, и оба двинулись вслед за клавишником. Никита Кузьмич вышел из кустов на тропинку, поколебался секунду и негромко окликнул:

— Влада!

Та прошла ещё несколько шагов и обернулась. В лице ее не дрогнул ни один мускул, оно оставалось спокойным и немного усталым.

— Идите, я догоню. — Она отцепилась от гитариста и осталась стоять на дорожке напротив Никиты.

— Влада, — повторил он, как можно мягче, и сделал шаг к ней навстречу.

Она была так близко, и рука невольно сама протянулась, чтобы коснуться ее.

— Эй, грабки уберите. — Влада отпрянула в сторону.

Взгляд ее стал колючим и напряжённым. Никита почувствовал, как холодеет под ложечкой.

— Не надо делать вид, что не узнаешь меня, — попросил он. — Я не сделаю тебе ничего плохого. Пожалуйста, не уходи, выслушай меня.

На лице Влады отразилось сомнение, она даже лоб наморщила, чего никогда прежде не делала.

— Что вам надо от меня? — сухо спросила она.

— Ничего. Ты в курсе, что тебя ищет полиция? Дело закрыли, но следователь не смирилась с этим и продолжает поиски. Тебя в любой момент могут схватить.

Влада презрительно пожала плечами.

— Мне нечего бояться, я ничего такого не сделала.

— Давай не будем об этом сейчас. — Никита снова сделал попытку дотронуться до неё. На этот раз она не отстранилась, а продолжала стоять, спокойно и пристально глядя на него. — Послушай, тебе нельзя вот так просто здесь петь и ходить по Москве. Тебя подозревают… подозревают в убийстве. — Ему стоило огромного труда произнести последнюю фразу.

— Что?? — Влада громко расхохоталась. — В убийстве? Меня? Да вы сумасшедший. — Она хотела уйти, но Никита удержал ее за руку. — Пустите меня! — В ее глазах вспыхнул гнев. Он никогда не видел ее такой. Она была чужой и сказочно красивой. Никита послушно разжал пальцы.

— Эй, ты идёшь? — окликнул Владу гитарист.

— Иду, иду, сейчас. — Она в последний раз окинула взглядом Никиту Кузьмича и поспешила вслед за ребятами.

Он остался стоять на тропинке в темноте. Его лихорадило. Он смотрел, как растворяется во мгле ее силуэт. Вот в последний раз мелькнули рыжие кудри, послышался смех, и тишина. Никита Кузьмич без сил опустился на скамейку. Неужели такое возможно? Она называла его дедом, обнимала и целовала, сидела с ним за одним столом — и вот ведёт себя так, будто они чужие. Неужели она убила Надю? Нет, не может быть!

Сердце у Никиты больно сжалось, стало тяжело дышать. «Инфаркт», — обречённо подумал он. Ну и ладно. Для кого жить? Для детей? Он им не нужен. Владе тоже. Нади нет, Маши тоже. Ему пора к ним. Пора...

Он очнулся от странных звуков — совсем рядом кто-то тонко и протяжно стонал. Никита Кузьмич с трудом поднял отяжелевшие веки и увидел давешнюю рыжую кошку. Та сидела рядом с ним на лавочке, обернувшись роскошным пушистым хвостом, и надрывно мяукала на одной высокой ноте. Никита не знал, сколько пробыл без сознания — может, минуту, а может, десять. Ему хотелось пить, спина была мокрой от пота, но сердце больше не болело. Кошка ткнулась ему в ладонь — нос был мокрым и холодным.

— Ну, перестань, не плачь, — хрипло проговорил Никита. — Я бы взял тебя к себе, но Шоколад не перенесёт.

При мысли о Шоколаде его подбросило. Пёс негулянный с самого утра! Извёлся, поди, бедняга! Нужно срочно ехать домой. Он сделал над собой усилие и встал. Кошка тоже спрыгнула с лавки и потерлась об его ноги.

— Ну, будь здорова, — попрощался с ней Никита и медленно побрел в сторону станции.

18.

Шоколад встретил его истошным лаем. Он вертелся по прихожей как волчок. Едва Никита взял с полки поводок, как зарычал телефон.

— Кузьмич! Ты где?? — завопил в трубку Куролесов.

— Здесь я, дома, — пробормотал Никита, одной рукой держа мобильник у уха, а другой пытаясь пристегнуть ошейник.

— А чего трубу не берёшь весь день? Я тебе сто раз звонил! Уже ехать хотел.

— Сто раз? — Никита с недоумением глянул на экран. Действительно, девять пропущенных. Ну да, он же, когда сидел в кустах, поставил телефон на беззвучный режим. Вот и сейчас вместо звонка шла вибрация. — Ну прости, — сказал он Куролесову, — звук выключил, а вернуть забыл.

— Ты это дело брось, — не унимался Сашка. — Мало ли что может случиться? Я же волнуюсь. Вон Лену даже допёк, она тоже стала волноваться.

— Лену? Какую Лену? — не сразу понял Никита.

— Ну как. Лена, моя... будущая жена. Она за тебя знаешь как беспокоилась? Такая, ранимая, добрая. — В голосе Куролесова явственно послышалась нежность.

— Ах, ну да. Прости, позабыл. — Никите наконец удалось пристегнуть Шоколада, и он вывел его на площадку. — Привет ей передавай, что ли.

— Передам, — обрадовался Куролесов. — А ты что дышишь так тяжело? Как самочувствие?

— Нормально все. С псом гулять иду.

— Поздновато для прогулок, — заметил Сашка уже спокойней. — Ну ладно, не буду мешать. Ты давай, мобилу включи и, если что, звони, не стесняйся. Мы приедем. — Слово «мы» Куролесов подчеркнул особой интонацией. Понятно было, что ему очень приятно всякий раз упоминать свою Лену.

— Приезжайте в гости, — пригласил Никита Кузьмич. — Вдвоём.

— Приедем, обязательно!

Сашка отключился. Шоколад, от нетерпения повизгивая, крутился вокруг ног Никиты, норовя запутать поводок. Тот вдруг отчетливо вспомнил, как они с Владой выводили пса на прогулку. Он так же суетился вокруг девушки. Влада весело смеялась. Никита тяжело вздохнул.

— Ну что, Чёрный, бросила она нас? — Он грустно улыбнулся. — Не нужны мы ей больше. Она со мной на «вы» разговаривает, делает вид, что не знает. А она ведь виновата перед нами, как виновата... эх... — Никита безнадёжно махнул рукой и побрел вниз по лестнице.

Назавтра ему стало нехорошо настолько, что пришлось вызвать «Скорую». Молоденькая врачиха сняла кардиограмму и озадаченно покачала головой.

— Вам в больницу надо, предынфарктное состояние. Если что, не откачают.

— Нет, в больницу не поеду. Я там уже месяц провалялся. И собаку не с кем оставить. — Никита отчаянно замотал головой.

— Если с вами что-то случится, она и так одна останется, — заметила девушка, но настаивать не стала. Заставила Никиту заполнить бланк отказа от госпитализации и уехала вместе со своим фельдшером, пожилым, явно пьющим дядькой с лысой головой и мясистым сизым носом.

Никита принял лекарство и прилёг. Через полчаса ему показалось, что тяжесть, навалившаяся на сердце, уменьшилась. Он набрал Сашку.

— Привет, — сразу отозвался тот. — Как дела?

— Да так себе, — признался Никита. — Что-то занемог я. Пса жалко, ему бы погулять, а я лежу. Ты занят сейчас? На работе?

— Я на работе, а вот Ленка моя дома. Она там работает, сувениры разные плетёт из соломки. Хочешь, приедет к тебе? Поухаживает, и с Шоколадом погуляет. Давай?

Никите совершенно не хотелось общаться с незнакомой Ленкой, к тому же он отлично знал Сашкину жену Любу. Выйдет неловко и некрасиво по отношению к ней. Но глядя на изнывающего около дивана пса, он решился.

— Ну давай. Пусть приедет. Ненадолго.

— Окей. Я ей адрес пришлю. Она на машине. Скоро будет.

Никита отложил телефон и поморщился от боли в левом боку. Эх, Сашка, предатель! Бросил бабу, с которой двенадцать лет прожил, она ему двоих детей родила. Променял на какую-то девку, плетущую соломку... И тут же его кольнуло. А сам-то он кто? Не предатель? Потащился на другой конец города разыскивать лживую девчонку, унижался перед ней. Самое настоящее предательство Нади и ее памяти. От этих мыслей ему стало ещё хуже, аж тошнить начало. Никита Кузьмич закрыл глаза и постарался уснуть. Ему удалось задремать поверхностным, неспокойным сном.

Разбудил его звонок в дверь. Шоколад с громким лаем помчался в прихожую. Никита с трудом поднялся и побрел открывать. На пороге стояла миловидная женщина лет сорока, одетая просто и так же просто причесанная. Светлые волосы были небрежно забраны в хвостик, на лице ни грамма косметики. Добрые голубые глаза смотрели на Никиту сквозь стёкла очков.

— Здравствуйте, я Лена.

— Надо же, — не сдержался Никита Кузьмич. — Я думал, вы другая.

— Какая? — Она улыбнулась. Улыбка у неё была чудесной.

— Да вы заходите, чего на пороге стоять. — Никита отошёл в сторону, пропуская гостью. С каждой минутой она нравилась ему все больше.

Лена зашла в прихожую, сняла замшевые сапожки без каблука, куртку и осталась в джинсах и свитере.

— Вы сегодня ели что-нибудь? — Она внимательно взглянула на Никиту, словно у того на лбу написано было, принимал он пищу или нет.

— Ну так, — неопределённо мотнул он головой.

— Ясно. Не кушали. Сейчас поставлю суп и сбегаю погуляю с собакой. — Лена потрепала Шоколада за ухом. Тот сразу же зажмурился от удовольствия. Она быстро прошла в ванную, вымыла руки, затем отправилась в кухню, наказав Никите: — Вы пока лежите, отдыхайте.

Он послушно лёг обратно на диван, с удовольствием слушая, как позвякивают на кухне кастрюли. Минут через двадцать Лена заглянула в комнату:

— Все, мы гулять. Суп закипел, как раз к нашему приходу сварится, и будем обедать.

Хлопнула входная дверь. Никита вдохнул запах, доносившийся из кухни, и сглотнул слюну. Лена вернулась, вымыла Шоколаду лапы, быстренько разлила по тарелкам вегетарианский борщ, насыпала в него зелени и чеснока, нарезала армянский лаваш, купленный в киоске поблизости. Они мирно обедали, Шоколад лежал рядом, вытянув лапы и положив на них свою чёрную голову. В кухне витали покой и уют.

— Так какой вы представляли меня? — миролюбиво спросила Лена у Никиты. — Небось молодой, наглой девицей, не погнушавшейся увести из дома отца семейства?

— Ну почему сразу наглой? — Никита невольно улыбнулся. — Молодой, да. — Он вспомнил Владу и добавил. — Такой, знаете ли, яркой. Вызывающей.

Лена прыснула:

— Ну это точно не ко мне. Я никогда не была вызывающей. Даже краситься почти не умею до сих пор. И маникюр не делаю. Вот, видите — Она продемонстрировала Никите руки — ногти были аккуратно подстрижены, без следов лака. — Я работаю руками, лак мне мешает. Вот как-то так.

— Сколько вам лет? — спросил Никита.

— Нетактичный вопрос, но я отвечу. Сорок два.

— Вы были замужем? Дети есть?

— Не была. Нет. — Она посмотрела на него уже без улыбки. — Какие ещё вопросы будут?

— Больше никаких. — Он доел борщ и отодвинул тарелку. — Спасибо, очень вкусно. — Никита немного помолчал, а затем негромко добавил: — Я понял, почему Сашка ушёл от Любы к вам.

— И отчего же?

— Вы очень женственная. Это редкость в наши дни.

— Спасибо, — проговорила она серьезно. — Я не хотела этого. Он сам, ей-богу! Я была против. Вы не верите мне?

— Верю. Я вам верю, Лена. И знаете, мне гораздо лучше.

— Как сердце?

— Почти прошло.

— Ну и хорошо. Скоро Саша приедет. Он написал, что освободился пораньше.

Потом они пили чай и неспешно беседовали о том о сем. Лена рассказала о себе, о том, как девочкой потеряла мать, а отец женился во второй раз — привёл в дом мачеху.

— Сложно было. — Она помешала ложечкой чай. — А ей ещё тяжелей.

— Почему ей тяжелей? — удивился Никита. — Она же взрослая, не ребёнок.

— То-то и оно, что взрослая. Понимала, что с неё спросится. Пыталась со мной контакт установить, подарки разные покупала, готовила всякие вкусности.

— А вы?

— А я... я игнорила ее, как могла. Плюшки выбрасывала в помойку. Резала вещи, которые она мне приносила. Жуть! Как вспомню, аж стыд берет.

— Вы так и не подружились? — спросил Никита.

— Подружились, но поздно, она уже больная была. Умирала. А я... я вдруг поняла, что ближе её у меня никого нет. Отец... Ну что отец? Он мужчина, ему нашу девичью душу не понять до конца. А Наташа понимала и принимала меня такой, какая я есть. — Лена вздохнула и отвернулась к окну.

Никита успел разглядеть блеск в ее глазах.

— Не надо, не расстраивайтесь. — Он осторожно тронул ее за плечо.

— И ведь как я ее сейчас понимаю! У Саши тоже дети, двое мальчишек. Он хочет, чтобы мы подружились и я стала им родной. А они даже слышать меня не хотят, не то, что видеть. Звоню, зову в гости — трубку бросают. Дети иногда такие жестокие. — Она повернулась к Никите и доверчиво заглянула ему в глаза, словно ища поддержки.

— Да, дети бывают жестокими, — мрачно подтвердил он и, подумав, прибавил: — К сожалению, не только маленькое дети, но и взрослые.

— Простите меня, — спохватилась Лена. — Не знаю, что мне вздумалось вам все это рассказывать. Просто... некому выговориться. Отец три года как умер. Подруг у меня нет. Вот и приходится все в себе держать. Тяжко.

— Понимаю. — Никита Кузьмич ласково погладил ее по плечу.

— А я, знаете, лета жду, — уже спокойней проговорила Лена.

— Почему именно лета? — удивился Никита.

— От родителей дом остался, под Тверью в лесном хозяйстве. Вокруг никого, гектар леса, грибы, ягоды. Озеро недалеко, речка, там рыбалка. Возьмём мальчишек и рванем туда на целый месяц. Саше отпуск обещали на заводе.

— Здорово, конечно, — согласился Никита. — Другой вопрос — отдаст ли вам Люба пацанов, да ещё на месяц.

— Отдаст, — уверенно проговорила Лена. — Я все сделаю, чтобы они мне доверяли, не считали сволочью и хищницей.

Грянул звонок в дверь.

— А вот и Саша, — обрадовалась Лена. — Сидите, я открою.

Она побежала в прихожую. Никита в задумчивости помешивал ложечкой чай. Его совсем отпустило, чувствовал он себя вполне сносно.

— Ну, ты чего надумал? — Сашка возник на пороге, держа в руках пакет с яблоками. — Снова в больницу не терпится? Таскаешься куда-то тайком, на звонки не отвечаешь, а после помирать начинаешь. Нехорошо, Кузьмич, некрасиво. — Он грохнул пакет на стол. — Вот, витаминчики тебе.

— Саш, ты что! Пакет грязный на стол! — засуетилась Лена. — Ничего, я сейчас перемою все, будете кушать. — Она вывалила яблоки из пакета в мойку и открыла воду.

Сашка с улыбкой посмотрел на неё и подмигнул Никите:

— Хозяйственная.

Тот кивнул и незаметно показал большой палец.

Потом они снова пили чай, закусывая нарезанными яблочными дольками, обсуждали собак, дачную жизнь и руководство завода. Шоколад по-

143

ложил свою чёрную голову на колени к Лене и так сидел, замерев в собачьем блаженстве.

Когда Никита Кузьмич проводил гостей, был уже поздний вечер. Он запер дверь, зашёл в гостиную и сел на диван, уронив руки между коленями. Он по-хорошему завидовал Сашке. Тот счастлив, и это видно. Возможно, Лена успеет родить ему ребёнка, а если нет, то поможет так вырастить мальчишек, что он никогда не будет чувствовать себя одиноким, как сейчас Никита. Кто знает, может, и нужно было тогда уйти от Нади и жениться на Маше. Возможно, их дети иначе бы относились к нему. Эх, да что теперь думать да гадать, пропустил он своё время, поздно, слишком поздно...

19.

Потекли размеренные и одинаково серые дни. Никита Кузьмич тосковал и хандрил. Мысль о том, что Влада в Москве, находится всего в часе езды от него, не давала ему покоя. Почему она так поступила с ним? И почему он не может злиться на неё? Никиту терзало чувство вины. Он даже отыскал телефон Петровской и набрал номер, но в последнюю секунду сбросил вызов. Как на беду, и погода неожиданно испортилась. Зарядили дожди, больше характерные для осени, а не для конца апреля. Похолодало, на улице стало слякотно и неуютно. Никита совсем приуныл. Он пробовал забыться с телевизионными сериалами, но едва садился перед экраном, как его одолевала смертельная скука. Даже любимая игра на гитаре перестала радовать. Мир совершенно померк, лишился красок. В нем не осталось ничего, кроме предательства и коварства Влады.

Куролесов исправно звонил, пару раз они с Леной приезжали на чай. Если бы не они, Никита, наверное, совсем бы тронулся от бесконечных душевных мук. С ними, и особенно с Леной, он на время забывался, отключался от горьких мыслей, даже улыбался иногда и шутил. Но едва гости уходили, на него снова накатывала лютая и безысходная тоска.

А потом вдруг выглянуло солнышко. Сразу стало светло, шумно и радостно. Двор наполнился детворой, веселым гомоном, криками, смехом. Никита Кузьмич вывел Шоколада на бульвар и долго бродил с ним взад-вперёд по хорошо утоптанной и посыпанной гравием дорожке. Они гуляли, пока не начало темнеть. Ошалевший от счастья, пёс с лаем носился по траве, бегал за палкой и пытался подружиться с малышней на детской площадке. Наконец Никита Кузьмич почувствовал, что устал. Пора было ужинать и на покой. Он привёл пса в квартиру, как обычно, вымыл его и хотел было заняться готовкой, но тут Шоколад вбежал в кухню и ткнулся носом в пустую кормушку. Весь его вид вопил о несправедливости: мол, сам собрался есть, а мне ничего не дал.

— Сейчас, сейчас. — Никита добродушно усмехнулся и полез под мойку, где у него обычно хранился корм.

Он нашарил коробку, вытащил на свет и она показалась ему подозрительно легкой.

— Что за черт? — Никита перевернул ее и потряс над кормушкой. Оттуда высыпалась маленькая горстка мясных подушечек.

Шоколад с недоумением взглянул на нее, словно говоря: «И это все?»

— Тьфу ты, — расстроился Никита Кузьмич. — Ну ты и даёшь, чёрный! Все слопал. Придётся в магазин идти на ночь глядя.

Шоколад виновато поджал хвост.

— Жди, я скоро, — приказал ему Никита и пошёл одеваться.

Пес последовал за ним и послушно уселся посреди коридора.

Никита Кузьмич вышел из дома и быстро направился в ближайшую «Пятерку». Взяв там собачьего корма и на всякий случай немного говяжьей вырезки, он оплатил покупки на кассе и двинулся к дому. Смеркалось, снова накрапывал мелкий, неприятный дождик. Никита поднял воротник и ускорил шаг, представляя, как обрадуется Шоколад вырезке.

Недалеко от подъезда в темноте маячила какая-то фигура, бродя взад и вперёд. Никита Кузьмич пригляделся и остановился как вкопанный. Перед ним на дорожке стояла Влада.

— Ты? — Он сделал шаг вперёд, но тут же замер в нерешительности.

— Я.

— Что ты здесь делаешь?

— Вас жду.

Он заметил, что вид у неё неважнецкий. Лицо бледней обыкновенного, кончик носа покраснел то ли от слёз, то ли от вечернего холода, в глазах испуг.

— Зачем? — спросил он и на всякий случай оглянулся, будто рядом могла оказаться Петровская.

— Послушайте, помогите мне! Я... мне... короче, у меня проблемы.

— Ещё какие! — Никита грустно усмехнулся. — Странно, что ты только сейчас это поняла.

— Мне не до ваших дурацких шуток, — грубо сказала Влада.

— Это вовсе не шутка. Из-за тебя погибла моя жена. Это ведь ты столкнула ее с лестницы. Ты?

Влада покачала головой:

— Не я. Честное слово, не я. Она сама.

— Положим. Я уверен, что ты врешь, но ладно. Допустим, ты не виновата. Тогда зачем ты убежала? Почему отключила телефон? — Он не заметил, как перешёл на крик. Те вопросы, которые он жаждал задать ей все это время, рвались наружу с неистовой силой.

— Тише! Нас могут услышать. — Она испуганно огляделась и приложила палец к губам.

— Плевать, — запальчиво произнёс Никита, но все же понизил голос. — Я спрашиваю, кто ты на самом деле? Ты ведь вовсе не Машина внучка! И документы у тебя фальшивые.

— С чего вы это взяли?

— В полиции сказали. Ты не зарегистрирована ни по одному адресу. Тебя нет в колледже!! Врунья!!!

Влада с досадой скривила губы.

— Послушайте, какая вам разница, зарегистрирована я или нет? Говорю вам, я ваша внучка. Вы поможете мне?

— Что ты хочешь?

— Меня ищут одни отморозки, и нужно где-то спрятаться. Пересидеть какое-то время... Можно я поживу у вас?

Никита аж захлебнулся от такой наглости. Ничего себе, поворот событий!

— А ты не боишься, что тебя обнаружит полиция? Ты ведь фигурируешь в уголовном деле.

— Вы сказали, что дело закрыли.

Никита закусил губу. «Все-то она помнит, бандитка рыжая».

— Кто за тобой гонится? Ты должна мне все рассказать.

— Потом. Сейчас не до того. Мне нужно укрыться. Я не могу оставаться на улице.

Никита мгновение колебался.

— Хорошо, я помогу тебе. Сейчас мы поднимемся в квартиру, но тебе опасно находиться у меня. Соседи увидят, позвонят в полицию. Дело вновь откроют.

Ее лицо жалобно скривилось.

— Что же делать?

— Я знаю. — Никите в голову вдруг пришла сумасшедшая мысль. — Я... отвезу тебя на дачу к своему другу. Это старый заброшенный дом, далеко от Москвы. Рядом никто не живет. Там есть условия, не блеск, конечно, но сойдёт. Поедешь?

— Поеду, — ответила Влада решительно.

— Тогда идём. — Он взял ее за руку и повёл к подъезду. Она послушно шла, не противясь. Перед тем как открыть дверь, Никита остановился. — Капюшон надень, — велел он Владе.

— Зачем?

— Так надо, надень.

Она пожала плечами и нахлобучила капюшон на свои кудри.

— Вот так. — Никита ещё раз придирчиво оглядел ее. — Пригнись на всякий случай.

— Чушь какая-то, — фыркнула Влада, но покорно ссутулилась и опустила голову.

Никита Кузьмич удовлетворенно кивнул. Теперь можно было не опасаться камер.

— Иди вперёд. Я чуть попозже подойду. — Он впустил ее в подъезд, а сам стал прогуливаться рядом. Дождался, пока зайдёт несколько жильцов и только после этого поднялся в квартиру.

Влада стояла, оперевшись спиной о дверной косяк. Из-за двери слышался громкий лай Шоколада.

— Чего вы так долго? — недовольно протянула она при виде Никиты. — И собака у вас бешеная какая-то. Лает и лает.

— Её зовут Шоколад, ты в курсе, — спокойно проговорил Никита Кузьмич, доставая ключи. — Он всегда лает, когда за дверью посторонние. Отвык от тебя. — Он распахнул перед ней дверь. — Заходи.

Влада переступила порог, с любопытством озираясь по сторонам.

— Ничего не изменилось, как видишь, — с горькой иронией произнёс Никита.

Она рассеянно кивнула. Шоколад постепенно успокоился и убежал в комнату.

— Ты голодная? — спросил Никита Кузьмич.

— Да, немного.

— У меня особо ничего нет. Могу сделать чай с бутербродами. Будешь?

— Буду.

— Мой руки.

— Они чистые. — Влада небрежно тряхнула волосами и сняла кроссовки.

— Что значит чистые? После улицы принято мыть руки.

— Какой вы занудный. — Она вздохнула и лениво потащилась в ванную.

Никита запер дверь и отправился в кухню. Нарезая сыр и колбасу, он думал о том, насколько изменилась Влада всего за четыре месяца: стала какой-то колючей, «уличной», упорно зовёт его на «вы». Связалась с дурной компанией? Наверное. Иначе не объяснить того, что она влипла в какую-то историю. Ну да ладно, она здесь, и это главное. А уж он сумеет приручить ее обратно.

Пока Никита грел бутерброды в микроволновке, Влада сидела за столом, подперев лицо ладонями, и молчала.

— Чашки доставай, — велел ей Никита. Она встала, подошла к шкафчику, открыла одну дверцу, другую. — Чашки в посудомойке, — подсказал ей Никита. — Ты что, забыла?

— Очень мне надо помнить про ваши чашки, — буркнула Влада.

Ела она с аппетитом, так, что за ушами трещало.

— Ты сегодня обедала? — спросил Никита, глядя, как она с жадностью собирает с тарелки хлебные крошки. Она помотала головой. — Но завтракала хотя бы?

— И не завтракала. Я всю ночь бегала от этих подонков. Спать хочу, умираю. Можно я лягу? — Влада взглянула на Никиту почти с мольбой.

У того сердце дрогнуло. Его девочка, милая, бедная, одинокая девочка. Ребёнок.

— Конечно, ложись. Я не тронул твою постель. Она в полном порядке.

Влада встала и заколебалась.

— Проводите меня.

— Куда? — удивился Никита. — В твою комнату?

— Да. Мне страшно. Пожалуйста. Я прошу.

— Хорошо, ради бога. Но у меня тоже просьба — перестань называть меня на «вы». Мы же были на «ты».

— Ладно. — Она кивнула, оставила грязную посуду на столе и пошла в коридор.

Никита догнал ее, дотронулся до руки. Она была холодной как льдышка.

— Идем. Я принесу тебе ещё одно одеяло. Ты должна согреться.

Она шла за ним как сомнамбула. В кабинете плюхнулась на кровать прямо в джинсах и толстовке. Никита принёс из спальни своё ватное одеяло.

— Вот. Так тебе будет теплее.

— Спасибо. — Взгляд ее уже блуждал где-то далеко.

Он потихоньку вышел из комнаты, постоял за дверью, прислушиваясь — в кабинете было тихо. Никита, осторожно ступая, вернулся в кухню, вымыл посуду, протер стол. Ему все не верилось, что это происходит в реальности. Вдруг это просто сон? Он проснётся — и Влада исчезнет. Или ночью потихоньку убежит. А если Шоколад вздумает лаять, воткнёт в него нож! У него похолодела спина. Кого он привёл в дом? Преступницу, воровку, бог знает кого ещё? Вдруг у Влады есть сообщники? Она впустит их, пока он спит, и они обчистят квартиру, а его убьют.

Никита в сердцах кинул в раковину тряпку, поспешил к кабинету и снова встал под дверью: ни звука. Он дернул ручку. В комнате было темно. С раскладушки доносилось тихое и ровное дыхание. Влада спала. Он подошёл на цыпочках совсем близко. Одна рука ее свешивалась вниз, другую она прижимала к груди, волосы падали на лоб и щеки, губы во сне страдальчески кривились. Никиту накрыло волной нежности. Нет! Она не воровка и не преступница. Она его внучка, и точка. Он так же на цыпочках вышел, плотно закрыл дверь и побрёл к себе в спальню...

Часы показывали половину одиннадцатого. Шоколад, объевшийся вырезки, мирно дремал на коврике возле постели Никиты. Тот немного подумал и позвонил Куролесову.

— Не спишь?

— Нет пока. Фильм смотрим с Ленкой. У нас ещё Лешка в гостях, попкорн сделали, вот лакомимся.

Лешка был младшим сыном Куролесова. Очевидно, Лена твёрдо следовала своему плану — наладить контакт с пасынками.

— Молодцы вы, — похвалил Сашку Никита.

— Стараемся, — довольно произнёс тот. — Ты-то как? Не спится?

— У меня все хорошо. Слушай, Сань, я ведь к тебе по делу. — Никита на всякий случай понизил голос до полушёпота.

— Какое дело? Говори, не стесняйся. Чего у тебя голос такой? Охрип?

— Нет, все в порядке. Я спросить хотел — Лена твоя мне про бабушкин дом говорила, ну, который в Тверской области. Ты в курсе?

— Ну, разумеется, в курсе. А что?

— Сань, спроси ее, нельзя ли там пожить немного одному... одному человеку.

— Какому такому человеку? — удивился Куролесов. — Загадками говоришь, Кузьмич.

— Просто человеку. — Никита промокнул вспотевший лоб платком. — Не спрашивай ничего, ладно? Я все равно не скажу. Пустишь, коли не жалко?

— Да конечно, пущу, не вопрос, — успокоил его Куролесов. — Просто любопытно, кто это. Женщина, что ли?

— Девушка, — с трудом выдавил из себя Никита. — Дальняя родственница.

— Не знал, что у тебя есть родственники, ну да ладно. Сейчас с Леной переговорю и перезвоню тебе.

Он повесил трубку. Никита снял намокшую от пота рубашку и остался в майке. Продолжая невольно двигаться бесшумно и ежеминутно прислушиваясь, он сходил в кухню и выпил воды. Заверещал звонок.

— Ленка согласна. Когда тебе ключи завезти? Могу завтра.

— Давай завтра. Во сколько?

— В обеденный перерыв.

— Договорились. Спасибо, друг. — Никита отключился.

Он разделся, лёг в постель, но сна как не бывало. В висках гулко стучала кровь. Промучившись полчаса, он, кряхтя и охая, слез с кровати и босиком прошлепал в коридор. Дрожащей рукой нашарил выключатель.

Вспыхнул свет. Никита оглядел тумбочку у двери, надеясь увидеть Владин рюкзак, но там ничего не было. Он стащил с вешалки ее куртку и, воровато озираясь, принялся шарить по карманам в поисках документов, однако они оказались пусты, не считая пачки жвачки и двух залежалых десятирублевых монет. У Никиты Кузьмича оставалась надежда на то, что Влада предусмотрительно взяла паспорт с собой в комнату, но не рыться же в вещах, а тем более — не обыскивать ее во сне. Он решил, что завтра потребует показать паспорт.

Завтра... Завтра будет хлопотный день. Нужно как-то спрятать Владу от Куролесова, когда приедет передавать ключи. Никто не должен знать о ней, ни одна живая душа. Завтра же нужно увезти ее в Тверь и спрятать там, вдали от людей. А уж там в дальнейшем будет видно, что к чему. В конце концов, есть такая вещь, как анализ ДНК. Раз

Влада нашлась и находится рядом, значит можно будет как-то исхитриться и взять у неё этот анализ. Тогда будет ясно наверняка, внучка она ему или нет...

20.

Никита всю ночь не сомкнул глаз. Лишь под утро его одолело тяжелое забытьё. Только он задремал, проснулся Шоколад и стал проситься на прогулку. Никита Кузьмич с трудом поднялся с постели, дошёл по коридору до кабинета, заглянул осторожно: Влада мирно спала, скинув одеяло на пол. Она так и не разделась, лежала на простыне прямо в джинсах. Никита покачал головой: видно сильно прижало девчонку, раньше она всегда была чистюлей, нипочем не стала бы спать в одежде. Он потихоньку прикрыл дверь и стал собираться на улицу. Запер входную дверь на два замка, предусмотрительно захватив с собой запасной ключ, на случай, если Влада вздумает сбежать.

Прогулка получилась короткой. Никита боялся, что Влада проснется и, черт ее знает как, испарится сквозь стены. Он вдруг не к месту вспомнил, что в Средние века всех рыжеволосых женщин считали ведьмами и сжигали на костре. Шоколад горько недоумевал. Он только-только вошёл во вкус, ему хотелось побегать за голубями, погрызть великолепную палку, которую он нашёл на бульваре, и много чего ещё. Но хозяин был неумолим и настойчиво тянул его за поводок к подъезду. Пёс пару раз возмущённо гавкнул, но перечить Никите не посмел и послушно потрусил за ним следом.

Прежде чем вставить ключ в замочную скважину, Никита Кузьмич прислушался: из-за двери не доносилось ни звука. «Так и есть, испарилась», — с тревогой подумал он и быстро отпер замок. В прихожей было пусто, но на вешалке мирно висела Владина голубая куртка, в углу стояли ее кроссовки. «Неужели спит?» — Никита лихорадочно разделся и, игнорируя грязные лапы пса, метнулся по коридору к кабинету. Распахнув дверь, он увидел Владу, сидящую на постели и расчесывающую щёткой свои роскошные волосы. Зрелище было столь впечатляющим, что Никита невольно застыл на пороге.

— Доброе утро, — как ни в чем не бывало поздоровалась Влада.

— Д-доброе, — слегка заикаясь, произнёс он. — Как спалось?

— Отлично, учитывая, что я уже несколько дней не могу нормально выспаться. — Она отложила щётку, встала и сладко потянулась всем телом, точно гибкая, грациозная кошечка.

Никита Кузьмич невольно втянул носом воздух, ожидая почувствовать знакомый ландышевый аромат, но вместо него явственно уловил запах молодого, разгоряченного тела. Ему стало стыдно и неловко, щеки вспыхнули.

— Тебе, наверное, нужно в душ, — пробормотал он, и непонятно было, это вопрос или констатация факта.

— Ещё бы, — ничуть не обидевшись, согласилась Влада. — Я вчера вырубилась, даже раздеться не успела. У вас ведь стиралка есть? Я бы шмотки простирнула.

— Стиралка есть, тебе ли этого не знать. И мы же договорились — зови меня на «ты», как раньше.

Влада небрежно повела плечиком и кивнула.

— Да, и вот ещё что. — Никита Кузьмич приготовился к наступлению. — Я хочу, чтобы ты показала мне свой паспорт. Не свидетельство о рождении, а именно паспорт.

— Паспорт? — Влада широко зевнула, не прикрывая рот.

— Да.

— А у меня его нет.

— Как это нет? — не поверил Никита. — Куда же он делся?

— Да украли его у меня, вместе с сумкой — эти же отморозки. Вот, видишь, нет ничего? — Она широко расставила руки и ноги, как это делают в аэропорту во время досмотра, и в таком виде покрутилась перед Никитой. — Видишь? — повторила Влада, и, несмотря на то что его мысли были заняты паспортом, он отметил, что она все-таки перешла на «ты».

— Вижу, — хмуро произнёс он, понимая, что его в очередной раз обводят вокруг пальца.

— Так я в душ. Не возражаешь?

Не дожидаясь ответа, она протиснулась мимо Никиты и пошлепала в ванную. Вскоре оттуда донесся шум ниагарского водопада. Никита привык, что Влада обожает включать кран на полную мощность, но сейчас она превзошла саму себя. Он растерянно постоял в коридоре, затем махнул рукой и отправился готовить завтрак.

Все время, что он колдовал над яичницей с ветчиной и помидорами, Влада провела в ванной. Однако едва по квартире разнесся аромат свежесваренного кофе, она предстала на пороге, обёрнутая с головы до ног большим махровым полотенцем.

— Прости за мое неглиже. Переодеть нечего, все в стирке. — Влада с видом королевы, присела к столу. Никита Кузьмич, чувствуя себя лакеем, поставил перед ней тарелку с едой и чашку кофе. — М-м, как пахнет! — Она с удовольствием втянула носом воздух и взяла вилку.

Никита вдруг заметил, что она ест левой рукой, и удивился. Он мог поклясться, что Влада была правшой. Она поймала на себе его пристальный взгляд.

— Что? На мне рога растут?

— Нет, просто раньше ты всегда держала вилку в правой руке.

— Правда? — Она рассеянно покрутила вилку между пальцами и переложила в другую руку. —

Знаешь, я что-то не в себе. Доконали меня эти гады. — Она снова принялась за еду, держа прибор как надо, однако Никита явственно видел, что ей неудобно.

Странно все это, более чем странно! Он снова подумал о том, что Влада неуловимо изменилась за время своего отсутствия. Эти изменения касались всего — и поведения, и привычек, — но в то же время это все-таки была Влада, его Влада, рыжая, румяная девочка из скандинавской сказки. Любуясь ею, Никита позабыл о времени и о том, что с минуты на минуту должен прийти Куролесов. Он вспомнил о нем, лишь когда зазвонил мобильный. Влада безмятежно пила кофе и по-кошачьи щурила зелёные глаза.

— Я у твоего подъезда, — бодро пророкотал Куролесов в трубку. — Сейчас поднимусь.

— Прямо сейчас? — испугался Никита.

— Да, а что? Ты не один? У тебя дама? — Сашка весело рассмеялся, даже не подозревая, насколько он близок к истине.

— Да нет у меня никого, — с досадой произнёс Никита. — Ладно, давай поднимайся.

Он бросил телефон на стол и затравленно поглядел на недоумевающую Владу.

— Это кто? — спросила та.

— Человек, который привёз ключи от дома, куда мы с тобой сегодня поедем.

— А-а-а, — протянула она небрежно.

— Бэ-э-э, — передразнил Никита. — Вот что: сейчас ты встаёшь и идёшь в кабинет. Сидишь там тише воды ниже травы, и упаси тебя бог высунуться оттуда и что-то сказать. Ясно?

— Да ясно, яснее некуда. Только глупо все это. Напрасно. — Она встала и лениво направилась вон из кухни.

— Не тебе решать, что напрасно, а что нет! — ей в спину крикнул Никита, но она даже не обернулась.

Он поспешно сполоснул посуду, пулей метнулся в коридор, снял с вешалки Владину куртку и спрятал в шкаф, туда же запихнул ее кроссовки. В это время в дверь позвонили.

— Вот. — Куролесов болтал на пальце огромную связку ключей. — Этот от калитки, этот от дома. Вот этот от летней кухни, а тот от сарая. Ещё от ворот есть, но Ленка говорит, они и так открываются.

Никита заметил, что Сашка украдкой поглядывает через его плечо, надеясь увидеть кого-то постороннего в квартире.

— Спасибо, — поблагодарил он. — И Лене своей передай спасибо. Я ваш должник.

— Брось. Колись лучше, что за родственница объявилась? Кого ты собрался вывозить на пленэр?

— Так, седьмая вода на киселе. Надиной двоюродной сестры дочь. Приехала в Москву, влипла в историю. Теперь ей нужно побыть в уединении какое-то время.

— Ты что же, сам ее туда собрался везти? — Сашка с недоверием взглянул на Никиту.

— Сам.

— Обалдел? Это ж далеко. На двух электричках с пересадками ехать нужно.

— Да я на машине.

— Ого! Ну ты даёшь, Кузьмич! Неделю назад умирал, а сейчас в путешествие намылился. Узнаю генерального директора. — В голосе Куролесова звучали одновременно уважение и беспокойство. — Опасно, дружище! Не с твоим сердцем садиться за руль на такие расстояния. Если уж так необходимо, давай я ее отвезу.

— Нет, — вырвалось у Никиты так поспешно, что он прикусил язык.

— Да почему нет? Темнишь ты что-то, дед, ох, темнишь! Меня Ленка убьёт, если узнаёт, что я тебя одного отпустил. Мы уже с ней договорились, что я отвезу.

— Сказал сам, значит сам, — отрезал Никита Кузьмич.

Куролесов покачал головой.

— Ну как знаешь. Вода там из колодца, чистейшая. Пробки включишь. Насчёт чистоты не гарантирую, возможно, придётся хорошенько убраться.

— Уберемся. — Никите хотелось, чтобы Куролесов поскорее ушёл.

Кажется, тот понял это и обиженно надул губы.

— Ладно. Вижу не к месту я со своей заботой. С псом-то что будет? С собой возьмёшь?

— А то. Не здесь же его оставлять одного.

— И то верно. — Сашка бросил последний любопытный взгляд Никите за спину и хлопнул его по плечу. — Ладно, старик, я побежал. Позвони, как доедешь. Если что не так, тоже сразу звони, не стесняйся. У Ленки там дядька неподалеку живет, подсобит, если потребуется.

— Хорошо, спасибо. — Никита взял ключи, и ощутил, как, словно по волшебству, в него вселяются покой и уверенность.

— Бывай. — Куролесов скрылся за дверью.

Никита Кузьмич дождался, пока смолкнут шаги на площадке, и поспешил в кабинет. Влада сидела на постели, углубившись в телефон. Откуда он взялся у нее, было непонятно, ведь сумку украли. Однако выяснять отношения некогда.

— Все, пора, — сказал ей Никита. — Собирайся. Мы уезжаем.

— Прямо сейчас?

— Да.

— Окей. — Она спрятала трубку и встала. Полотенце по-прежнему болталось на ней, пикантно отрывая длинные ноги и лебединую шею. — А в чем я поеду? Вещи-то мокрые.

— Вот это вопрос. Погоди. — Никита Кузьмич ушёл в спальню, покопался в шкафу и нашёл пару юбок и кофточек, оставшихся от покойной жены. Он отнёс вещи в кабинет и положил на кровать. — Попробуй это, может, подойдёт.

Влада оглядела одежду и скривила презрительную мину:

— Я должна это носить? По-твоему я бабка какая-то?

— А по-твоему, я должен бежать в магазин и покупать тебе новую одежду? — вспылил Никита Кузьмич. — Надевай, что есть, и поехали. Время не ждёт. Пока доедем, стемнеет, мне будет сложно вести машину.

— Ладно, — буркнула Влада сквозь зубы. — Тогда выйди.

Никита Кузьмич вышел из комнаты. С кухни донёсся лай.

— Шоколад, ко мне! Ко мне, чёрный. Мы едем на природу.

Пёс тут же вприпрыжку прискакал в прихожую. Никита надел на него ошейник. Проверил в карманах куртки документы и банковскую карточку. Он с молодости привык моментально срываться с места, уезжать налегке, без вещей, собрав лишь самое необходимое, благо его работа отличалась командировками, часто внезапными.

Из комнаты вышла Влада — вид у неё был комичный. Юбка, которая Надежде Сергеевне была по щиколотку, едва доходила ей до колен. Кофта болталась, как на вешалке.

— Как я выгляжу? — мрачно поинтересовалась она.

— Сойдёт для сельской местности, — успокоил ее Никита. — Машинка вроде достирала, ты мокрые вещи в пакете захвати с собой, там высушишь.

— Думаешь, я совсем тупая, — огрызнулась Влада и пошла в ванную.

Никита сходил в спальню, взял смену белья, пару рубашек и спортивные брюки, запихнул все это в сумку. Секунду поколебался и снял со стены гитару. Затем он взял на кухне несколько пакетов с собачьим кормом и вернулся в прихожую. Влада уже натягивала кроссовки. Шоколад сновал у неё под ногами, возбуждённо повизгивая. «Уже не лает, вспомнил», — удовлетворенно отметил Никита. Ему самому было хорошо и весело.

Все складывается отлично. Он привезёт Владу в Тверь, сам останется с ней на пару недель, станет следить за ней, ухаживать, кормить. Она во всем признается ему. И не будет больше этого тяжкого, гнетущего одиночества.

Они спустились на улицу. Никита волновался, как бы по пути им не встретились соседи, но в подъезде было пусто. Он быстро посадил Владу и пса в машину и выехал из двора.

Никита не водил уже несколько месяцев, с тех пор, как загремел в больницу. Раньше, в молодости, он не мыслил жизни без колёс, не вылезал из-за руля, частенько лихачил и превышал скорость. Сейчас все это осталось в прошлом. Однако ему было приятно, что он выступает в роли шофёра. Он ощущал себя главным в их маленькой компании, ответственным за всеобщее благополучие, и это прибавило ему сил.

Автомобиль резво нёсся по шоссе, в зеркало Никита видел лицо Влады — она задумчиво смотрела в окно. Шоколад тоже смотрел — в другое окно, периодически пытаясь вскочить на ноги и гавкнуть на проносящиеся мимо машины. Вскоре Влада капризно протянула:

— Я есть хочу.

— Ты же только что позавтракала, — удивился Никита Кузьмич.

— Уже больше часа прошло, и яичница твоя у меня давно переварилась. Разве это еда?

— А что, по-твоему, еда? — опешил Никита.

— Ну, к примеру, «цезарь» ролл в «Макдаке».

— Что это такое — «Макдак»? — не понял он.

— Ну здрасте, «Макдоналдс», конечно. Ты что, совсем дремучий?

Никита не припоминал, чтобы Влада прежде ела в «Макдоналдсе». Может, она, конечно, заглядывала туда, когда была одна или с компанией ровесников. Но в присутствии Никиты Кузьмича разговор о «Макдоналдсе» не заходил. Очевидно, он далеко не все знал о Владе, пока считал ее своей внучкой.

— Давай заедем в «Макавто», — продолжала канючить Влада.

— Это долго, — попытался возразить Никита.

— Глупости, быстрее быстрого. О, гляди, как раз «Макдак». Сворачивай! Сворачивай, я тебе говорю.

Никита Кузьмич резко крутанул руль, покрылся холодным потом и свернул к терминалу.

— Добрый день, — поздоровался с ними динамик. — Что выбираете?

— Значит, так, — оживилась Влада.— «Цезарь» рол, большой картофель по-деревенски и колу. Это мне. А тебе что? — Она вопросительно уставилась на Никиту.

— Я ничего не буду, — проговорил тот, всем видом выказывая осуждение столь вредной пищи.

— Ну и зря. Попробуй хотя бы филе-о-фиш. Прикольно.

— Понял вас, ещё филе-о-фиш, — тут же любезно отреагировал динамик, прежде чем Никита успел что либо возразить. — Оплачивайте в следующем окне.

Ошарашенный Никита подъехал и протянул улыбающейся девушке деньги. Затем в соседнем окне им выдали большой бумажный пакет и пластиковый стакан с колой. Влада тут же достала ролл и вонзила в него острые белые зубы. Никита брезгливо понюхал свой бутерброд.

— Гадость какая-то. Живот, чего доброго, схватит от такого.

— Не схватит, — беспечно отозвалась Влада и сунула недоеденный ролл Шоколаду. Тот тут же отхватил зубами приличный кусок.

— Что ты делаешь! Ему нельзя! — ужаснулся Никита, но было поздно: Шоколад уже довольно облизывался и прицеливался ухватить следующий кусок.

— Хватит, обойдёшься, — сказала Влада и запихнула остатки ролла себе в рот.

— Господи, да как ты можешь! После собаки!! Фу, антисанитария какая, — возмутился Никита.

— Подумаешь, какие мы нежные, — насмешливо протянула Влада и щелкнула пса по носу.

— Перестань, не доводи его, а то укусит.

— Пусть только попробует.

Никита заметил: чем дальше они уезжали от Москвы, тем уверенней и нахальней становилась Влада. Вчера она выглядела как затравленный зверёк, а сейчас по-хозяйски расположилась на сиденье с колой в руке. На ее щёки вернулся румянец, волосы победно пламенели, кошачьи глаза довольно щурились. «Погоди, — подумал Никита с азартом, — ты мне ещё все расскажешь, до самых мелочей. Кто ты, что ты, как связана с несчастной Машей, что произошло у вас с Надей в тот роковой день. Все». Он прислушался к сердцу — оно стучало бодро и четко, словно организм сбросил пару десятков лет. Филе-о-фиш он так и не попробовал, отдал его Владе и, дав газу, выехал на трассу.

Позади остались высотки, вдоль дороги зарядил лес, могучие тёмные ели стояли, сплотившись между собой бок о бок, как тридцать три богатыря из пушкинской сказки. Влада сзади тихонько мурлыкала замысловатый мотив.

— Спой погромче, — попросил ее Никита.

— Зачем?

— Красиво. Хочу послушать. Мне не хватало твоего пения.

— Надо же, — язвительно произнесла она, но громкость прибавила.

Никита крутил руль и наслаждался звучанием ее серебряного голоса. Какая дурочка! Ей бы учиться и учиться. Могла бы стать настоящей певицей. И деньги он ей дал, а она потратила их неизвестно на что.

— Куда ты дела деньги? — спросил он, не удержавшись.

— Какие деньги?

— Не придуривайся. Я дал тебе денег на учебу в колледже, но ты там не появлялась. На что ты их потратила?

— Если я скажу на что, думаешь, тебе от этого станет легче?

— Ты настоящая нахалка! — рассердился Никита. — Почему я тебе помогаю, не пойму?

— Потому что ты мой дед. Уймись, хватит меня пытать. Мне и так несладко пришлось, еле ноги унесла. А тут ещё ты со своими расспросами.

— На моем месте любой бы доставал тебя расспросами. Не забывай, моя жена...

— Да не убивала я твою жену! — крикнула Влада. — Не убивала!! Ясно тебе? Она сама упала!

— А зачем ты пришла пораньше в тот день? Ты же говорила, что будешь вечером. А убежала почему? А...

Влада сжала руками виски.

— Замолчи! Я все равно не смогу тебе ответить. Ты должен мне поверить, просто поверить, и все. Я ведь твоя внучка.

«Ты чудовище», — подумал Никита обречённо, но вслух ничего не сказал. Он продолжал крутить руль, подглядывая в навигатор, который обещал ещё два часа пути.

Им удалось добраться до деревушки засветло. Дом Лениных родителей действительно находился на отшибе, хотя и относился к посёлку. От остальных домов его отделяло поле и большой холм, поросший бурьяном. Никита направил машину в лес и вскоре остановился у низенького деревянного забора. Домик был тоже низенький, одноэтажный, но крепкий и ладный, как небольшой гриб-боровик. Сложенный из толстых брёвен, он стоял в глубине участка, окружённый тремя высокими соснами. Никита выпустил Шоколада, и тот с лаем понёсся в кусты.

— Тебе нравится? — спросил он Владу.

— Глушь какая-то. Разве тут можно жить?

— А почему нельзя? Вон колодец. Труба торчит, видишь? Значит, есть печь, ее можно топить. Есть вода, есть тепло. Что ещё нужно для существования? Сейчас оглядимся, и я в магазин съезжу, куплю продуктов.

— А я?

— А ты будешь дома сидеть. Тебе в деревню нельзя.

Влада печально понурила голову и пошла вслед за Никитой к крыльцу. Большой замок проржавел и долго не желал открываться. Никита Кузьмич уже испугался, что с места в карьер придется прибегать к помощи Лениного дяди, но ключ вдруг повернулся и дужка отодвинулась. Никита толкнул скрипучую тяжелую дверь, и они с Владой оказались в тёмных сенях. Отчетливо пахнуло сыростью, сверху им на головы посыпались какие-то опилки.

— Фу, гадость какая. — Влада потрясла кудрями, стараясь стряхнуть налипший мусор. — А воняет-то как! И почему мы не могли остаться в Москве? Сидела бы я в квартире, и все было бы шито-крыто.

— Я тебе уже много раз объяснял — тебя ищет следователь, — сухо проговорил Никита Кузьмич и толкнул другую дверь, ведущую в комнату.

Она оказалась неожиданно большой, с четырьмя окнами, плотно занавешенными пыльными шторами. В правом углу стояла настоящая русская печь, напротив неё — круглый стол, покрытый вышитой скатертью. В другой стороне примостились две старомодные, металлические кровати с высокими перинами и подушками. В целом это была настоящая деревенская идиллия, эдакий лубок для любителей старины. Влада прошлепала к кровати и с угрюмым видом уселась на покрывало.

— Чего ты расселась? — поддел ее Никита. — Нужно тут все прибрать.

— Как это?

— Очень просто. Принести воды из колодца, протереть пол, окна вымыть. А я пока займусь печью.

— Делать мне нечего, как воду таскать, — огрызнулась Влада, но все-таки поднялась и вышла во двор.

Никита услышал, как она гремит ведром. Сам он тоже вышел на улицу, отпер сарай. Там оказалось довольно много березовых дров. Никита засунул их в печь и поджег. Поленья весело вспыхнули. Влада тем временем орудовала шваброй с нанизанной на неё старой майкой, найденной в сенях.

Вскоре запах сырости ушёл, вкусно запахло деревом. Никита Кузьмич поставил на печь чайник, отыскал в старом деревянном буфете заварку и чашки. Они с Владой пили чай за столом вприкуску с кусочками рафинада — все, что удалось отыскать в закромах этого уютного, но заброшенного хозяйства. Шоколад за окнами лаял и атаковал кусты крыжовника. После долгой дороги и чая Никиту разморило.

— Может, ляжем уже? — спросил он Владу. — А в магазин завтра?

— Ляжем? Ты с ума сошёл! Только восемь часов. Я есть хочу!

— Опять? Ты же столько слопала в «Макдоналдсе»!

— Когда это было! Нет уж, вставай и езжай в магазин. А не то я пойду.

— Я тебе дам «пойду»! — Никита поспешно вскочил. — Никакого покоя с тобой. Ладно, сейчас съезжу. За псом следи, а то ещё убежит. Кто знает, вдруг в заборе дырки.

Он оделся и вышел из дому. На всякий случай оглядел забор, но тот был хоть и старый, но прочный. Никита снова сел за руль и через десять минут оказался у небольшого сельского магазинчика.

— Мы вообще-то до восьми, — недовольно встретила его продавщица, дородная тетка с заметными чёрными усиками над верхней губой.

— Пожалуйста, мне очень надо, — взмолился Никита Кузьмич.

— Всем вам надо, — грубо отозвалась продавщица. — Чего тебе? Пол-литра небось?

— Да нет. — Никита хмыкнул. — Мне хлеб, макароны, ножки куриные, сосиски. Ещё картошки, помидоров, зефира.

— Ого, сколько всего, — рассердилась тетка. — Эдак я с вами и до девяти не управлюсь.

— Пожалуйста, — снова попросил Никита Кузьмич. — Я отблагодарю. — Он протянул ей пятисотрублевку.

Продавщица тут же схватила ее толстыми пальцами и спрятала в карман несвежего халата.

— Ладно. Чего, говоришь? Макароны?

Тетка оказалась не такой уж стервозной. Пока завешивала товар, они с Никитой разговорились.

Вера, так звали продавщицу, поведала ему свежие деревенские сплетни, а заодно призналась, что живет одна и очень скучает без мужика. Было очевидно, что Никита ей приглянулся, несмотря на солидную разницу в возрасте. Под конец разговора она уже вовсю улыбалась, кокетливо приподнимала чёрную бровь полумесяцем, а ее огромная грудь, обтянутая халатом, томно и соблазнительно колыхалась.

— Вы откуда будете? Я никогда вас тут не видала. Не местный?

— Нет. Из Москвы.

— О как. — Вера одобрительно кивнула и кинула в пакет связку сосисок. — А сюда к нам чего? На отдых?

— На отдых, — подтвердил Никита.

— Это правильно. Тут места отличные. Вы дом сняли? Небось у тетки Клаши? Она каждый год комнаты сдаёт.

— Нет, у меня свой дом. Вернее, не у меня, а у друзей. Пустили пожить на лето. После болезни я, мне воздух свежий нужен.

— А, так это, наверное, домик в лесничестве? Хозяин, Анатолий, помер несколько лет назад, а дом-то так и стоит пустой. Иногда женщина приезжала, но редко. Угадала?

Никита снова кивнул, присматриваясь к шоколадным конфетам на витрине. Влада любила «Ласточку». Может, взять?

— Мне ещё конфет полкило. Вот этих. — Он ткнул пальцем в стекло.

— Это вы один столько будете есть? — Продавщица кинула на него удивленный взгляд.

— Один, — подтвердил Никита, не моргнув глазом.

Незачем этой проныре знать о Владе. Кто его знает, куда может заглянуть недремлющее око Петровской? Однако в следующее мгновение он пожалел о своих словах. Вера приосанилась, и грудь ее победоносно нацелилась Никите в лицо.

— Один? Значит, вы один живете. Нет, так не годится.

— Что не годится? — спросил Никита, чувствуя, как его охватывает беспокойство.

— Мужчина в вашем возрасте не может жить один. За ним баба ухаживать должна. Вот я, например. Хотите, завтра приду к вам вечером, ужин сготовлю? Посидим, выпьем по рюмочке, у меня наливка домашняя, прелесть какая. А? — Она игриво подмигнула Никите.

От неожиданности тот едва не выронил пакет с окорочками.

— Спасибо, Вера, я польщен. Но... я как-то даже не знаю. Так сразу... может потом, попозже.

— Послезавтра, — с готовностью согласилась продавщица и брякнула на прилавок ещё два пакета. — Вот, держите. С вас четыре тысячи пятьсот.

Никита расплатился, в душе проклиная себя за мягкотелость. Теперь, чего доброго, эта местная

Мессалина надумает пожаловать к нему в гости, и надо будет ее как-то выпроваживать. Ну да ладно, что-нибудь придумает. Он попрощался, вышел на улицу, погрузил пакеты в машину и поехал домой.

Его встретил радостный лай Шоколада. Тот был абсолютно счастлив — видимо, в Москве ему не хватало простора и раздолья.

— Ну как там наша гостья? — Никита ласково погладил пса. — Надеюсь, она тебя покормила?

При последнем слове лай Шоколада сменил тональность на глубокий минор.

— Нет? — возмутился Никита. — Ну и засранка!

Он зашёл в комнату. Взгляду его представилось чудное зрелище: Влада возлежала на кровати, подсунув под спину подушку, и с сосредоточенным видом пилила ногти. Покрывало наполовину сползло на пол, на столе так и стояли грязные чашки, под ним валялись кусочки сахара. Самым загадочным во всей этой мизансцене было то, где она ухитрилась раздобыть пилку — ведь у девушки не имелось ровным счетом ничего из вещей.

— Это что за свинство? — опешил Никита Кузьмич. — Мы же в гостях! Это чужой дом. Разве можно так?

— Да что такого? — лениво протянула Влада, не отрываясь от своего занятия. — Ты продукты купил?

— Продукты я купил. Но если ты будешь так себя вести...

— Как я себя веду? — перебила Влада. — Что ты все время бурчишь, как столетний старик? Самому не надоело? — Она отложила пилку и спрыгнула с кровати. Подошла, сунула нос в пакеты. — О, еда!! Хочу сосисок. С макаронами! Нет, лучше с картошкой, жареной.

Никита слушал ее и недоумевал все больше. Никогда прежде Влада не позволяла себе такой тон. Напротив, она всегда была вежлива и деликатна, стремилась все сделать сама, помочь, чем только можно. А тут превратилась в какую-то капризную барыню, которая только и делает, что раздаёт приказы.

— Что значит «хочу»? — строго произнёс Никита Кузьмич. — Ставь воду, чисть картошку, доставай сковородку.

— Ой, нет. — Влада страдальчески сморщилась. — Я так устала! Давай лучше ты. У тебя хорошо получается. Дед, ну пожалуйста. — Она сложила руки на груди и умильно поглядела на Никиту.

Тот покачал головой:

— Я тебя не узнаю. Что с тобой стало?

— Ничего. — Влада пожала плечами. — Я всегда такой была. Ты просто не замечал.

— Конечно, где уж мне, — проворчал Никита, однако послушно принялся готовить ужин.

Влада наблюдала за ним с кровати, капризно надув губки.

— Какая здесь скучища, телевизора и того нет! Интернет еле ловит. Заняться вообще нечем.

— А мне казалось, тут куча занятий. Полы нужно помыть получше, в шкафах убраться, шторы постирать, — язвительно заметил Никита Кузьмич.

— Вот сам и мой свои полы. — Влада оглядела изящно подпиленные ноготки. — Я тут и недели не выдержу, сдохну с тоски.

— У тебя есть альтернатива: вернуться в Москву и встретится со своей компанией. Или попасть в лапы следователя. От неё ты так просто не отвертишься, придется отвечать на все вопросы.

Влада помрачнела и замолкла. Минут двадцать в комнате висела напряженная тишина.

— Можешь накрывать на стол, — велел Никита Кузьмич, когда картошка начала подрумяниваться, а сосиски закипели.

Влада нехотя встала и потащилась к столу — нога за ногу, всем своим видом показывая, как она страдает. Никита поставил на стол сковородку, разложил сосиски по тарелкам.

— Ты обещала рассказать про тех, кто на тебя напал. — Он взглянул на неё в упор.

— Можно я хоть поем сначала?

— Ешь, тебе никто не мешает. Но потом ты должна рассказать.

— О господи. — Влада театрально взялась за голову. — Ладно, я лучше сейчас. Короче, мы пели в Коптеве, ты видел. Я, Толик и Платоша.

— Толик — это гитарист? — полюбопытствовал Никита.

— Нет, клавишник. Не перебивай, пожалуйста.

— Я молчу, молчу, — поспешно произнёс он.

— Ну, мы, значит, пели, а тут одни отморозки пожаловали. Типа, они район держат, и надо им платить.

— Рэкетиры то есть. — Никита понимающе кивнул.

В девяностые ему пришлось познакомиться с подобными ребятами. Ему не раз угрожали, однажды напали и избили. Надежда Сергеевна была в панике, требовала, чтобы Никита все бросил и пошёл работать рядовым слесарем, каким начинал когда-то в юности. Не на того напали! Никита Авдеев был не робкого десятка, ничего не боялся. Денег вымогателям он не дал, и как-то постепенно все сошло на тормозах. И казна заводская не пострадала, и сам цел остался. Но были и те, кто проиграл в этой жестокой борьбе. Несколько друзей Никиты Кузьмича погибли, ещё пара сломались и бросили дело. Одного подставили и посадили. Так что Никита о рэкете знал не понаслышке.

— Твари они, а не рэкетиры, — со злостью сказала Влада. — Так, мелкая сошка. На молодца и сам овца, а тут видят, что им отпор дать некому. Толик больной, после операции драться не может, а Платон верующий, ему Бог не велит кулаками махать. Ну, только я одна осталась, здоровая и идеями не обременённая. — Влада невесело усмехнулась.

179

— Погоди! Что значит «одна»? Ты что же, драться с ними надумала? — не поверил Никита. — Девушка против бандюганов?

— Ну это ты зря. — Влада тряхнула кудрями. — Я с детства дзюдо занималась, могу здорового мужика на раз-два уложить. Не веришь? Я б тебе продемонстрировала, но боюсь, ты коньки откинешь.

Никита смотрел на неё изумлёнными глазами. Сколько в этом создании разнообразных талантов! Интересно, чего ещё он о ней не знает?

— Что дальше? — спросил он, позабыв о еде.

— Ну, врезала я одному. Он вырубился. Их двое было. Другой материться стал, кричать, что убьёт меня, из-под земли достанет. Я не поверила вначале, думала, на понт берет. Они ушли, но через два дня вернулись. С ножичками.

— Ужас какой, — испугался Никита. — Какая же это сошка? Настоящие уголовники. Может, тебе не стоило с ними связываться?

— А что стоило? Деньги им отдать, кровью и потом заработанные? — вскинулась Влада. — Думаешь, нам много платят в этой долбаной усадьбе?

— Думаю, нет.

— Ну вот. Ты бы на моем месте как поступил?

— Я бы так же поступил, — твёрдо проговорил Никита Кузьмич. — Ты молодец, герой. И я... я горжусь тобой. — Он резко замолчал.

Эк его дедовская гордость разобрала! Начисто позабыл о том, что невиновность Влады так и не доказана. Вдруг все же из-за неё погибла Надя?

Влада смотрела на него молча, с ожиданием.

— Скажи, почему ты перестала петь на Арбате? Ведь там платят значительно больше.

Она вздохнула.

— Так надо было. Поверь.

— Скажи почему, — настойчиво повторил Никита. — Ты боялась, что тебя будут искать? Центр, видное место. Из-за этого, да?

Она с хмурым видом кивнула.

— Влада, пожалуйста! Ты должна мне рассказать, что произошло в тот день. Пойми, я не могу так! Это выше моих сил — знать, что по твоей вине погибла моя жена, и заботиться о тебе, защищать, прятать от всех. Пожалуйста, Влада...

Она перестала есть и опустила голову. Роскошные рыжие кудри упали на лицо.

— Я уже сказала тебе — я не могу.

— Не можешь что?

— Рассказать, что произошло в тот день. Когда я пришла, она уже лежала.

— Врешь! Ты врешь!! — Никита Кузьмич в сердцах отшвырнул вилку. — Она произнесла твоё имя перед тем как... перед тем, как уйти. Она пыталась что-то сказать. О тебе!

— Откуда я знаю, почему она так сделала? — Влада подняла на него глаза, и в них читалась мольба. — Мало ли что придёт в голову перед смертью? Почему ты не веришь мне?

— Хорошо. Зачем ты приходила? Ты же не собиралась.

— Мне нужны были концертные туфли. Я их забыла.

— Положим. Но дальше ничего не связывается. Почему ты оставила человека умирать, а сама убежала? Не позвонила мне? Не вызвала врачей? Телефон для чего выключила?

— Неужели ты не понимаешь? Так всякий бы на моем месте бы поступил!!

— Всякий? Что ты несёшь?

— Да, всякий! Я никто, девчонка из провинции. Без родных, без денег, живу у вас Христа ради. Кто бы мне поверил, что она упала сама, без моей помощи? Да на меня бы тут же всех собак понавешали. Я и убежала. Симку выбросила. Мне ребята другую достали.

Никита понял, что ничего не добьётся, они ходят по замкнутому кругу. Казалось бы, вот она, Влада, нашлась, сидит напротив. Зависит от него, поневоле слушается. Но до истины все равно не докопаться, как ни старайся. Она всегда найдёт лазейку, куда увильнуть от ответа, у неё на все есть оправдание. И в то же время каждое ее слово — ложь. Он отчетливо видит это, чувствует всеми фибрами души. Она насквозь лживая, фальшивая, преступная и... невероятно родная и близкая. И он снова готов прощать ей все козни...

— Спасибо, — чинно проговорила Влада и сладко зевнула. — Теперь, пожалуй, можно и спать ложиться. Ты посуду уберёшь?

Никита грустно усмехнулся:

— Куда я денусь? Похоже, я связался с белоручкой. Выхода нет.

— Ну, тогда спокойной ночи. — Она вылезла из-за стола, подошла к кровати и, нисколько не смущаясь, расстегнула пуговицы на кофте Надежды Сергеевны.

Никита покраснел как рак, закашлялся и поспешно выбежал в сени, а оттуда на крыльцо. Свежий ветер обдул его разгорячённое лицо. Из кустов выскочил Шоколад, нос его был перемазан чем-то зелёным.

— Возможно, я схожу с ума, чёрный, — пожаловался ему Никита. Пёс в ответ коротко и звучно гавкнул. — Пошли домой, спать пора.

Он впустил Шоколада в сени и запер дверь, затем вернулся в комнату. Влада уже лежала под одеялом с закрытыми глазами. Никита подошёл к столу и стал собирать грязную посуду. Взгляд его упал на жвачку, аккуратно прилепленную к столешнице. «Вот ведь свинуха», — подумал он в сердцах. Никита брезгливо отколупал жвачку и хотел уже кинуть в мусорное ведро, как вдруг замер, поражённый интересной мыслью. Вот же отличный материал для генетической экспертизы! Можно завтра по-быстрому съездить в ближайший центр и заказать анализ. Нужен только бумажный конверт.

Пока Никита раздумывал, где его взять, Влада во сне зашевелилась и застонала. Он вздрогнул, жвачка выпала у него из рук на пол. Никита нагнулся поднять ее, но неожиданно передумал. Взял в углу веник, быстро смел жвачку в совок и выкинул в мусорку. Потом так же быстро вымыл тарелки и чашки, сложил их в сушку, потушил свет и лёг.

21.

На этот раз он уснул почти мгновенно. Сказалась прошлая бессонная ночь, много часов, проведённых за рулём, а главное, особенный дух деревянного, хорошо протопленного дома, который врачует душу лучше любого лекарства и психолога.

Никите снилась мать. Она была совсем молодой, красивой, улыбалась и плела венок из одуванчиков. Пальцы ее были выпачканы в белом соке, она смеялась и манила его к себе.

— Иди сюда, Никитушка, иди, не бойся. Как же я соскучилась.

Он хотел пойти к ней, но ноги сковала страшная тяжесть. Никита кинул взгляд вниз и вздрогнул: вокруг его щиколоток обвилась толстая железная цепь.

— Ну что ты стоишь? — рассердилась мать и бросила венок. — Сколько тебя можно звать?

— Я не могу. — Он нагнулся и попытался распутать цепь, но не тут-то было. Та прочно сковала его ноги и не поддавалась. — Я не могу, — повторил он беспомощно.

— Как это ты и не можешь? — недоверчиво проговорила мать. — Ерунду несёшь.

Она нагнулась и принялась шарить в траве, пытаясь найти венок, но трава почему-то на глазах превратилась в ярко-желтый песок. Захотелось пить, так сильно, что у Никиты запершило в горле.

— Мама, — позвал он, но матери уже не было. Вместо неё совсем рядом стояла Надя. Она была одета в какое-то бесформенное чёрное платье. В глазах тоска.

— Предал ты меня, Никитка, — сказала она, и голос ее дрожал. — Предал. И все из-за этой рыжей девчонки. Кто она тебе? Думаешь, внучка? Как бы не так.

— Надя, прости, — прошептал Никита и резко рванулся, но цепь не пускала.

— Ты теперь навсегда будешь прикованный, — печально проговорила Надежда Сергеевна. — Она вовсе не Влада, разве ты не видишь?

— Как не Влада? Что ты, Надюша. — Никита вытер со лба выступивший пот. — Просто она другая. Не такая, какую мы знали. Так бывает, люди не сразу раскрываются.

— Ты слеп, Никитка. — Надежда Сергеевна покачала головой. — Всякий, кто сильно любит, слеп. Вот и я была слепой, любила тебя, а ты мне изменял с какой-то Машей. — Она пошла от него по песку, не оставляя следов.

Никита молча и тяжело дыша смотрел ей в след.

— Надя!

Она обернулась, поправила завитые в локоны волосы.

— А ведь она не любит конфеты. Не любит «Ласточку».

— Какую «Ласточку»? — пробормотал Никита и проснулся.

Из-за пыльных штор в горницу светило солнце. Никита с трудом сел в кровати и огляделся. Шоколад мирно дремал рядом на коврике. Влада посапывала в своей постели. Что за чертовщина ему приснилась? Очевидно, все смешалось: его мысли о вине перед Надей, о том, что Влада изменилась. А мать-то при чем? Никита вспомнил, что покойники снятся к перемене погоды. Он глянул в телефон — шесть без малого. В Москве он так рано не вставал, однако спать больше не хотелось. Никита потихоньку слез с кровати, оделся и вышел на улицу. Следом выскочил проснувшийся Шоколад.

За ночь действительно потеплело. Несмотря на ранний час ощутимо припекало солнце. Никита с интересом оглядывал двор — вчера не успел в суете и заботах. Возле ограды росли три большие яблони, все уже в розовых бутонах, готовые к цветению. Рядом с ними примостились кусты смородины и крыжовника. У колодца, точно красная девица, тосковала одинокая тоненькая рябинка, под ней стояла деревянная лавочка с облупившейся краской. Никита присел на неё и с наслаждением вдохнул свежий, наполненный ароматом зелени воздух. Отчего ему здесь так хорошо? Даже на своей шикарной, благоустроенной даче он не чувствовал себя так спокойно и умиротворенно. Неужели оттого, что рядом Влада? Он представил себе ее лицо, пламенеющие во сне щеки, длинные, опущенные ресницы, и губы его невольно дрогнули в улыбке. Надо идти готовить завтрак, скоро она проснётся. Он оставил Шоколада резвиться во дворе, а сам пошёл в дом и занялся приготовлением геркулесовой каши.

Работа спорилась в его руках. Молоко весело булькало на плитке, на печке закипал чайник. Никита нарезал бутерброды с колбасой, разложил их на тарелке. Он и не думал никогда, что так приятно готовить для кого-то — всегда старались для него. Никита кинул в готовую кашу большой кусок масла и с удовлетворением дождался, когда он начнёт оплывать ровными, жёлтыми кругами. Поставил на стол чайник и чашки, насыпал в вазочку печенье и конфеты.

— Как вкусно пахнет, — раздался из постели голос Влады. — Дед, ты просто прирожденный повар. Ты всю жизнь так готовил?

— Нет, только теперь начал, — смущенно пробурчал Никита. — Проснулась?

— Ага.

— Давай быстренько за стол, всё стынет.

На этот раз Владу не нужно было просить дважды. Она вскочила, умылась под рукомойником и с аппетитом принялась за кашу.

— Добавки хочешь? — спросил ее Никита, когда тарелка опустела.

— Хочу.

Он положил ей ещё.

— Чай пей. С конфетами.

— Спасибо, я такие не люблю. — Влада отодвинула вазочку.

— Как не любишь? Ты же их обожала. Я специально для тебя... — Никита не договорил.

Он вдруг ясно вспомнил сегодняшний сон и слова Нади: «А конфеты она не любит. Разве ты не заметил?»

— Гадость эта «Ласточка», — проговорила Влада и брезгливо поморщилась.

Никита больше ничего не сказал. Отчего-то ему стало тоскливо и тревожно, безмятежное настроение улетучилось без следа. Он украдкой взглянул на Владу: та держала чашку в левой руке. Она поймала на себе его взгляд, кашлянула и перехватила ее в другую руку.

— Что будем делать, дед?

— Не знаю. Хочешь, спой. Я попробую подыграть.

— А ты умеешь? — удивилась она.

— Умею. Я говорил тебе.

— Не помню, прости. — Она поставила пустую чашку на стол и скрутила волосы в узел на затылке. — Ну давай попробуем.

Никита достал из чехла гитару. Почему-то у него дрожали руки. Он долго не мог настроить ее — то не докрутит колки, то, наоборот, перекрутит. Влада терпеливо ждала, сидя на стуле и чуть наклонив набок голову.

— Я готов, — наконец произнёс Никита. — Что будем петь? Что-нибудь из Агилеры?

— Да ну, не люблю ее. Давай лучше вот это. — Она принялась напевать весёлый мотивчик. Никита на ходу подбирал аккорды. — Дед, а ты молоток, — похвалила его Влада. — Ну что, запомнил?

— Вроде бы.

— Тогда давай ещё раз.

Они спели песню от начала до конца. Получилось недурно.

— А повыше можешь взять? — попросила Влада. — Эта тональность слишком низкая, мне неудобно.

Никита пожал плечами.

— Могу.

Она действительно не доставала некоторые низкие ноты. Никита мог поклясться, что раньше она без труда брала их. Он взял на два тона выше. Голос Влады взмыл вверх. У Никиты кольнуло сердце. Боже, какая красота! Восторг.

Они занимались целый час. Никита совсем разыгрался и без труда подхватывал любую мелодию, которую напевала ему Влада.

— И для чего мне сдались Платоша и Толик недорезанный, когда у меня дед — крутой гитарист, — со смехом проговорила Влада. — Нам с тобой вдвоём надо было выступать. Неплохо бы заработали.

— Нет уж. Музыка — это мое хобби. Я ею зарабатывать не собираюсь.

— Ну да, я забыла. Ты ж у нас богатенький Буратино. — Влада вдруг обняла Никиту и чмокнула его в щеку.

Он совершенно обмяк, растаял, точно восковая свечка под огнём.

— Пойдём гулять, — предложил он.

— А можно?

— Почему нельзя? Кругом лес, никого нет. Никто нас не увидит.

— А если мы заблудимся?

— Не заблудимся. Я хорошо ориентируюсь на местности.

— Ну пошли.

Она натянула свои высохшие за ночь джинсы и толстовку. Они надели на Шоколада ошейник с поводком и вышли за калитку. Солнце светило уже вовсю, было откровенно жарко. Над головой жужжали стрекозы и мухи.

— Скоро лето. — Влада гибко потянулась, и ловко перепрыгнула через глубокую лужу. —

Здесь, наверное, хорошо летом. А купаться есть где?

— Наверняка. Надо только разузнать хорошенько у местных.

— Ты узнаешь?

— Обязательно.

Она вдруг остановилась и серьезно посмотрела на него. Ее зелёные глаза сощурились.

— Дед, спасибо тебе. Я... я не знала, что ты такой.

— Какой?

— Ну такой. Добрый, заботливый. И современный — на гитаре играешь. Я думала, все старики придурошные.

— Как это придурошные? Что это ты говоришь?

— Ну, они обычно злые, сердитые. Жадные. Ты не такой.

— Глупости. — Никита сделал вид, что сердится, но в душе ему было приятно. — Мы же с тобой и раньше ладили. До того, как... — Он замолчал.

— Хватит уже об этом, — недовольно проговорила Влада. — Не то опять поссоримся.

— Хорошо. Хватит так хватит. — Никита сорвал придорожный василёк и протянул ей. — На, возьми. Я люблю их. Красивые, хоть и сорняки.

— Я тоже. — Она сунула василёк в свои рыжие кудри.

Они вышли из леса на просеку. Посреди поляны лежало большое бревно — ствол упавшей сосны.

— Посидим? — предложил Никита.

— Давай.

Они присели рядышком, спустили Шоколада с поводка, и он умчался на другой конец полянки.

— Скажи, у тебя с этим твоим Платошей... было что-нибудь? — неожиданно для себя спросил Никита.

Влада подняла на него удивлённые глаза.

— Почему ты спрашиваешь?

— Ну просто, интересно. Должен же я знать о личной жизни своей внучки.

Влада кивнула, помолчала немного, а потом сказала:

— Да, было.

— Серьезно?

— Ну, так. — Она неопределённо повела плечом.

— А с этим... Со скрипачом?

— С каким скрипачом?

— С которым ты на Арбате играла.

— А, с этим... — Она небрежно махнула рукой. — Нет, ничего не было. Он вообще придурок.

— Я так и подумал, — не удержался Никита.

— Что подумал? — не поняла Влада.

— Ну, что он домогается тебя. Смотрит, как кот на сметану. Это он тебе названивал?

— Он? Да нет, с чего ты взял?

— Ну кто-то же звонил тебе все время, тогда, осенью. Я слышал, как ты разговариваешь, ругаешься. И тогда, после концерта, ты с ним пошла, а нас бросила. Я тогда... так обиделся. Помнишь?

Влада почесала нос.

— Честно? Дед, не помню. У меня таких, как Платоша и этот скрипач, знаешь сколько было?

— А вот это уже разврат, — ухмыльнулся Никита.

— Ой-ой, кто бы говорил! А сам-то, жене своей изменял, как ее... Елене Сергеевне.

— Надежде Сергеевне, — поправил Никита. — Какая у тебя короткая память. Она столько старалась для тебя, а ты не помнишь ее имя.

— Память у меня действительно скверная, — легко согласилась Влада. — Давай глянем, что там за деревьями?

— Давай.

За дубовой рощей оказалась маленькая, но быстрая речушка. Вода в ней была прозрачная, так что хорошо виднелось дно, усыпанное камешками.

— Хочу туда! — Влада в мгновение ока разулась и прыгнула в речку. Она громко взвизгнула и захохотала.

— Что, холодная? — спросил Никита.

— Очень. Капец просто. — Она пронеслась по воде, высоко подпрыгнула и уцепилась за ветку сосны, свисающую над ручьем. — Смотри! — Влада, точно обезьяна, карабкалась все выше и выше. Никита даже испугался.

— Ты что! Слезь немедленно. Вдруг ветка сломается, и ты упадёшь!

— Я? — Она тряхнула кудрями и снова расхохоталась. — Ни в жизнь!

Ее пальцы цеплялись за ствол, босые ноги ловко находили выступы и впадины. Мгновение — и она уже была на самом верху.

— Сумасшедшая! — Никита, задрав голову, с ужасом смотрел на нее. — Немедленно спускайся. Если, конечно, у тебя это получится.

— Легко. — Влада, вися на руках, быстро спустилась. Потопталась на траве, обсушивая ноги, и начала обувать кроссовки.

— Что это было? — спросил Никита, все ещё не придя в себя от испуга.

— Да ерунда, я с детства по деревьям лазаю. Ещё и не на такие забиралась.

— Я и не думал, что ты у меня такая спортсменка. — Он посмотрел на неё с восхищением.

— Ой. — Она вдруг всплеснула руками. — А пёс-то где?

Никита огляделся. Шоколада нигде не было.

— Убежал! Надо скорей найти его! Шоколад! Чёрный! Ко мне!

Никто не отозвался.

— Я сейчас. Мигом. — Влада кинулась в заросли. До Никиты доносился ее звонкий голос: — Шоколад! Шоколад!

В отдалении послышался лай. У него отлегло от сердца. На поляну выскочил Шоколад, в зубах у него была огромная палка. За ним вышла улыбающаяся Влада.

— Сбежать надумал, паршивец. Сейчас бы его только и видели.

— Не пора ли домой? — Никита взглянул на часы.

— Пора, — согласилась она. — Есть хочется.

— Все как всегда, — ухмыльнулся Никита. — Предлагаю нести вахту поочередно.

— То есть? — Влада поглядела на него обеспокоенно.

— То есть обед сегодня за тобой. Я уже готовил вчерашний ужин и сегодняшний завтрак.

— Нет, так нечестно, — заканючила Влада. — Да я и не умею.

— Но ты же видела, как это делает Надежда Сергеевна много раз. Должна была запомнить.

— Говорю же тебе, у меня отвратительная память. — Влада скорчила недовольную физиономию.

— Ничего, что-то, да вспомнишь. Пора привыкать. Нам тут долго жить. Работы по дому всем хватит. Я один не справлюсь.

— Ну хорошо, — сквозь зубы пробурчала Влада. — Только потом не жалуйся, что мою стряпню есть невозможно.

— Не буду, — пообещал Никита.

Они той же тропинкой вернулись в дом. Никита прилег отдохнуть, наблюдая, как Влада мучается у плиты. У неё все валилось из рук. Она начала чистить картошку и тут же вскрикнула.

— Вот! Все из-за тебя. — Она сунула Никите под нос палец, на кончике которого алела капля крови.

— Ну, ничего страшного, — утешил он ее. — Сейчас йодом намажем. Наверняка тут есть аптечка.

Аптечка действительно нашлась в одном из ящиков буфета. Никита отыскал пузырёк с йодом, продезинфицировал ранку и наклеил бактерицидный пластырь.

— Я раненая, а раненым полагается отпуск, — заявила Влада и залегла на кровать.

Никита вздохнул и принялся дочищать картошку. Едва они сели обедать, залаял Шоколад, а затем раздался стук в дверь.

— Кто это? — удивилась Влада, но по ее виду нельзя было сказать, что она испугалась.

Никита же, напротив, похолодел. Он вспомнил о продавщице. Неужели-таки пожаловала в гости? Да ещё так рано?

— Залезай в шкаф, — скомандовал он Владе.

Она посмотрела на него как на сумасшедшего.

— Ты это серьезно?

— Серьезней не бывает. Я же говорил, что ни одна живая душа не должна о тебе знать.

— Но я ещё не поела! Я суп хочу! И второе!!!

— Потом, когда я все улажу. Давай, полезай. — Он широко распахнул скрипучую створку старого деревянного шифоньера. Оттуда пахнуло пылью и тухлятиной.

— Фу!! Мерзость! Не хочу туда! Сам полезай. — Влада брезгливо наморщила нос.

— Давай, без разговоров. — Он подтолкнул ее в спину.

Она, бормоча ругательства, залезла внутрь. Никита прикрыл дверку, оставив крошечную щелку, чтобы можно было дышать. Стук меж тем повторился, стал настойчивей.

— Сейчас, — крикнул Никита.

Он поспешно вылил Владин суп обратно в кастрюлю, кинул тарелку в таз у рукомойника и пошёл открывать. На крыльце стояла Вера, в нарядном платье темно-вишневого цвета и с такой же помадой на губах. В руках она держала объёмистый пакет.

— А я к вам. Вот, к столу принесла. — Она сунула пакет в руки Никите и, бесцеремонно оттеснив его своей роскошной грудью, зашла в комнату. — А вы, смотрю, обедаете? — Она кивнула на кастрюлю с супом, стоящую на столе. — Поздновато. Время ужинать уже скоро. Ну да ладно, наливочка под супчик тоже подойдёт. Я ещё огурчиков своих соленых принесла и икру овощную. — Не успел Никита опомниться, как она ловко поставила на стол бутылку и пару банок. — Стопки неси, хозяин.

— Вера, я, видите ли… не пью, — попробовал возразить Никита.

— Да ладно! Это же наливка. Никогда не поверю, что такой мужик — и не пьёт.

— У меня инфаркт был, — мрачно произнёс Никита и обречённо поставил на стол две стеклянные рюмки.

— Ну что инфаркт! Мы вас быстренько тут подправим, подлечим. Воздух здесь шикарный, у меня на огороде все растёт. Скоро овощи свои будут. Забудете про свой инфаркт. — Вера по-хозяйски достала с полки тарелку, налила себе супу. Потом разлила наливку по рюмкам, села, шумно втянула носом воздух и опрокинула стопку до дна. — За вас! Я имя-то позабыла спросить. Как вас?

— Никита.

— Хорошее имя. Мое любимое. Ну, будь здоров, Никита. — Она снова налила и так же залпом выпила, а затем налегла на суп.

Хмелела Вера быстро, даже стремительно. После третьей стопки лицо ее приобрело свекольный цвет. Она визгливо хохотала, закинув одну полную ногу в фиолетовой сеточке вен на другую. Подол ее платья задрался, обнажая пышную ляжку. Никиту при взгляде на неё начало тошнить. Он боялся, что Влада в шкафу задыхается и вот-вот вылезет наружу. Сам он почти ничего не выпил, только сделал вид, что пригубил рюмку. Есть он тоже не мог, сидел и проклинал свою нерешительность и мягкотелость. Надо было дать отпор этой наглой бабенции ещё вчера, в магазине. Теперь она начнёт шастать сюда каждый день. Не сидеть же Владе в шкафу ежедневно!

— Вот что, Вера, — твёрдо проговорил Никита Кузьмич. — Спасибо тебе за гостинцы и за визит, но мне пора работать.

— Работать? — удивилась Вера. — Ты разве не на пенсии?

— Я работаю на дому. Книги сочиняю. Романы.

— Да ты что? — Она посмотрела на него круглыми глазами. — Любовные романы?

— Нет. Детективы. Про убийства всякие и прочее. Так что, прости, тебе пора.

— Как здорово, — с восхищением проговорила Вера. — А почитать дашь?

— Тебе неинтересно будет. Это для мужиков.

— Интересно! Ты не думай, я умная. Книжки читаю. Вон, в прошлом году Пушкина почти всего прочла.

— Ну, мне до Пушкина далеко. — Никита поневоле улыбнулся. — Ты давай иди, а то у меня сроки.

— Ладно, ладно, я мешать не буду. Завтра прийти? Я оладушек напеку.

— Завтра ни в коем случае. Теперь только через неделю или лучше через две. А то мне придётся неустойку платить.

— Не дай бог. — Вера перекрестилась, кряхтя, тяжело поднялась со стула и, покачиваясь, пошла к дверям. — Огурчики кушайте на здоровье. И икорку, — снова перейдя на «вы», очевидно от большого уважения, проговорила она и скрылась в сенях.

Никита видел в окно, как она нетвердой походкой идёт к калитке. Он выждал пару минут и открыл дверцу шкафа. Влада сидела, обхватив руками коленки, глаза ее были закрыты. Она спала!

— Эй, просыпайся. Можно выходить. — Никита потормошил ее за плечо.

— Отстань. — Она дёрнулась, но не проснулась. — Отвяжись. Я не знаю, где деньги!

— Влада! — громче позвал Никита. — Влада, очнись! При чем тут деньги? Я и не думал тебя спрашивать.

Она не реагировала.

— Влада! — Он легонько шлепнул ее по щеке.

Она открыла глаза, непонимающе глядя на него.

— Влада!

— Где?

— Что «где»? — теперь уже не понял Никита.

Она с трудом приходила в себя.

— Я уснула, что ли?

— Да, и так крепко. Я не мог тебя разбудить.

Она вылезла из шкафа, стряхивая с себя пыль.

— Что это за мадам приходила к тебе?

— Местная продавщица. Кажется, она положила на меня глаз.

— Ну ты у нас мужчина хоть куда. — Влада хитро усмехнулась. — Я умираю с голода. Где мой суп? Надеюсь, она не все слопала?

— Нет. Я оставил тебе. — Он налил ей в тарелку.

Она жадно принялась хлебать его. Никита молча смотрел, как она ест.

— Спасибо, все очень вкусно, — поблагодарила Влада. — Мы петь сегодня будем?

— Будем, но чуть позже. Я дров наколю, и будем петь.

— Чудненько. — обрадовалась Влада. — А огурчик можно съесть?

— Можно.

— Замечательные огурчики, — весело прощебетала Влада и полезла в банку.

22.

Через неделю их быт совсем наладился. Никита исправно топил печь, Влада носила из колодца воду. Они готовили нехитрую еду: картошку, гречку, макароны, отваривали сосиски, жарили окорочка. Впрочем, готовили — это не совсем верно. В основном стряпней занимался Никита. Влада по-прежнему ленилась, торговалась по любому поводу, стараясь увильнуть от работы по дому. Если же откосить не удавалось, то делала все из рук вон плохо. Периодически у них с Никитой из-за этого происходили стычки, которые всегда заканчивались перемирием.

Погода стояла отличная, и у них вошло в привычку гулять по лесу до той самой опушки, где бежал ручей. Дорога в обе стороны занимала чуть больше часа. Они сидели на пеньках у речушки, слушали, как поют птицы, наблюдали за носящимся по округе Шоколадом, разговаривали на самые разнообразные темы, наслаждаясь тишиной и покоем. Никита чувствовал себя почти полностью счастливым. Почти — потому что в глубине души у него затаилось нечто тревожное и гнетущее. Это было чувство огромной вины перед покойной женой, ощущение собственного предательства и что-то ещё, чему сам Никита не мог дать объяснения. Иногда это что-то становилось настолько сильным и мучительным — он едва сдерживался, чтобы не застонать. А иногда почти совсем отступало, давая место гармонии и тихой радости, чтобы потом возникнуть снова.

Никита незаметно наблюдал за Владой — исподтишка, когда она была чем-то увлечена и не замечала его пристального взгляда. Он выучил наизусть каждый ее жест, все привычки и ужимки, интонации ее голоса.

Она не любила шоколадные конфеты, не переносила Агилеру, упорно бралась за вещи левой рукой, затем перекладывая в правую. Она отрицала все, что когда-то сама проповедовала, и периодически уходила в себя настолько, что не сразу откликалась на зов. Никите казалось, что она живет в каком-то своём мире, иногда выныривая из него, а иногда погружаясь на самое дно. В это время для неё переставали существовать окружающие. Она не видела и не слышала их. Стоило определённого труда вернуть ее в реальность.

Вечерами они неизменно музицировали, оба получая от этого несказанное удовольствие. В такие моменты Никита забывал все плохое и с головой уходил в наслаждение. Слушая Владу, он думал о том, что когда-нибудь, когда все кончится, он заставит ее учиться во что бы то ни стало. Но что кончится — этого Никита не мог сказать. Он просто плыл по течению, просыпаясь и засыпая в деревянном домике, под щебет птиц, всеми фибрами души ощущая себя нужным, а оттого — молодым и полным сил.

23.

«Июнь. Первые по-настоящему тёплые дни. Упоительно длинные, светлые вечера. Мне кажется, стоило вытерпеть всю эту седую, мглистую зиму, с вечной тьмой, с жестокими ветрами, с невольным заточением в четырёх стенах, с холодом стареньких батарей, с обледеневшими стёклами, за которыми ничего не видно, кроме все той же темноты. Стоило все это перетерпеть ради высокого голубого неба, оголтелого щебета птиц, бело-розового цветения яблонь, а главное — ради свободы!!

С самого утра на моем пороге стоит Галка. У неё каникулы, а значит, она вольна, как птица. Она пришла, чтобы посадить меня в коляску и вывезти во двор. И вот я сижу под берёзой, наслаждаясь чириканьем воробьев, матерной бранью соседа-алкаша — да, да, даже его брань меня радует, потому что она живая, а я наконец выбралась из своей клетки в десять метров.

Совсем рядом несутся машины, они громко сигналят, у подъезда девчонки прыгают в классики, чертя мелом на асфальте цифры. Галка ест мороженное, облизывая его со всех сторон блестящим розовым языком. Капли текут по ее подбородку, падают на платье, на голые коленки. Возле ее ног вертится дворовый пёс Тузик и норовит слизнуть мороженое с Галкиных коленок. Ей щекотно, она морщит курносый нос, на котором солнце уже оставило свои метки в виде веснушек.

— Пшел вон, — говорит она Тузику и пихает его ногой.

Тот обиженно поджимает хвост, отходит в сторону и косится на меня чёрным глазом, словно ища поддержки и сочувствия. Я улыбаюсь Тузику. Я вообще последнее время только и делаю, что улыбаюсь. Нагруститься я ещё успею — потом, когда вновь станет холодно, солнце скроется за тучами и зарядят дожди. Галка снова пойдёт в школу, и у неё не будет времени гулять со мной. Вот тогда я перестану улыбаться, а сейчас самое время.

Галке скучно — Алиса приболела и ей не с кем гулять. Она просится к девчонкам в классики, но те не пускают ее. Вот ведь вредины! Понимаю, что пришла пора вмешаться, и говорю им:

— Девочки, как не стыдно. Что вам, жалко, что ли?

— Жалко, — отвечает одна из них, голубоглазая и златокудрая, как кукла Барби. — У неё битки нет.

— Ну так одолжи ей свою, — не отстаю я.

— Ещё чего, — тянет Барби. — Мне ее папа подарил, он ее из поездки привёз. Там конфетки были, разноцветные такие.

Я вспоминаю, что в мое время битки для классиков делали из банок с чёрной икрой — это считалось последним писком моды. В мое время... Тогда все было другим. И дети тоже — не такие нарядные и разодетые в пух и прах. Мы бегали в кедах, спортивных штанах и майках, гоняли биты и мячи, дружили все вместе. Не любили только маменькиных сынков, дразнили их всем двором...

Галка тем временем нашла выход из положения: она прыгает вовсе без битки, с клетки на клетку. Ее косички смешно подпрыгивают. Барби, надув розовые губки, смотрит на неё исподлобья, но прогнать не решается. Мимо идут соседки-старушки, баба Нина и баба Зина, давние подружки. Они кивают мне с сочувствием:

— Гуляешь?

— Гуляю, — отвечаю я.

Галка напрыгалась вволю, ей пора домой. Я бы ещё посидела во дворике под берёзой, но увы, нужно ехать. Дома меня ждут петли — одна лицевая, две изнаночных. Раз-два, раз-два. Спицы мелькают перед глазами, заслоняя оконный мир и воспоминания. Раз-два, лицевая, изнаночная...»

24.

...Прошло недели три. За это время Никита Кузьмич и Влада сварили четыре пакета макарон, два килограмма картошки, спели несколько десятков песен, трижды сильно поссорились и столько же раз помирились. Пару раз наведывалась Вера, но Никита Кузьмич уже не опасался ее визитов — он приноровился на это время прятать Владу в сарайчике.

На дворе стояло настоящее лето, и Никита задумал копать огород. Он нашёл вполне крепкую лопату, грабли и принялся за дело. У себя на даче Никита давно уже ничего самостоятельно не делал. Надежда Сергеевна ревностно следила, чтобы он не напрягался, благо были средства нанять рабочих. Те и грядки копали, и газон пропалывали, и помогали Надежде Сергеевне обустраивать ее многочисленные цветники.

Сейчас же он получал огромное удовольствие от своего занятия. Никита вырос в простой крестьянской семье, у них был и дом, и огород, и живность водилась. Он с детства все умел: и землю копать, и мастерить, и даже корову доить. Земля на участке оказалась отличная, сплошной чернозём. Никита вскопал грядки, купил в сельпо семена, рассаду и заставил Владу посадить морковь, свеклу, зелень и кабачки. Та отбрыкивалась как могла, но все же с честью выполнила возложенную на неё миссию. Семена быстро дали всходы, и Никита поливал их из большой, ржавой лейки, найденной в сарае. Вскоре они уже добавляли в картошку свой укроп и петрушку.

Куролесов регулярно звонил, интересовался, как дела. Обещал приехать, но не прямо сейчас, а попозже, когда ему дадут отпуск. Никита стал подумывать о том, чтобы остаться здесь с Владой на осень и даже на зиму. Конечно, нужно будет кое-что подделать в доме, подконопатить, но главное — печь и колодец — в полном порядке. Приедет Сашка, поможет заготовить дров на всю зиму. Он представит ему Владу как свою родственницу, и все будет в лучшем виде…

Так примерно думал Никита, коротая дни в обществе Влады, изредка общаясь с Верой, и нисколько не скучая по оставленной цивилизации…

Иногда, впрочем, они выбирались «в свет» — соседний райцентр. Туда Никита пару раз свозил Владу, чтобы купить ей какую-то летнюю одежду и обувь. Она остановила свой выбор на трёх симпатичных платьицах и открытом сарафанчике, синем, в желтый цветочек. Еще они приобрели ей шлепки, босоножки и вторые кроссовки, на случай дождливой погоды. Потом Никита с Владой прошлись по хозяйственному магазину и купили кучу тарелок и кастрюль, скатерть и даже новые шторы. Инициатором этих покупок стала Влада. Никита с удивлением и радостью заметил, что ей стало нравиться обустройство их скромного жилища. Она все чаще без его напоминания намывала полы, протирала пыль, украшала поверхности найденными в шкафу салфеточками и вазочками. Вообще она стала гораздо спокойней и доброжелательней, больше похожей на ту, прежнюю Владу, милую и веселую хохотушку, покладистую и непривередливую. Такой она нравилась ему ещё больше. Никита не представлял, что может ее потерять, потому неукоснительно следил, чтобы никто из посёлка не знал о ее существовании. Береженого, как говорится, бог бережёт...

Первого июля у Веры был день рождения, и по этому поводу она позвала Никиту Кузьмича к себе в гости. Тот отнекивался как мог, но все же ему было неловко не прийти. Он купил в райцентре коробку шоколадных конфет, шелковый шарфик в тон ее вишневому платью и отправился в деревеньку, наказав Владе сидеть дома и носу за калитку не высовывать.

Вера жила на краю деревни в хорошем, добротном кирпичном доме.

— Муж справил, — объяснила она Никите. — Он у меня хозяин был, рукастый и с головой. Сам строил, от первого до последнего кирпичика.

— Куда ж он делся, муж твой? — полюбопытствовал Никита.

— Дак помер, царство ему небесное. — Вера, по своему обыкновению, быстро и мелко перекрестилась. — Пил шибко. Коли не пил бы — цены б ему не было. Ты проходи, Никит, не стой на пороге.

Она по-прежнему называла его то на «ты», то на «вы», в зависимости от ситуации и от того, о чем шёл разговор. Никита зашёл в просторную прихожую.

— А я стол накрыла, посидим сейчас. — Вера осторожно взяла его за руку и провела в большую, светлую комнату, служившую, видимо, гостиной.

В самом центре стоял круглый стол, покрытый вышитой полотняной скатертью. Он буквально ломился от угощений. Тут были и самодельные разносолы, и колбасные нарезки, и сало с чесноком, и заливное, и пироги. В запотевшем графине стоял домашний квас. В центре всей этой роскоши, красовалась, как водится, знаменитая Верина наливка.

— Присаживайтесь, — плавно переходя на «вы», пригласила Никиту Вера. — Как ваша книга?

Никите до смерти надоело изображать из себя писателя, но делать было нечего: назвался груздем — полезай в кузов.

— Так себе, — произнёс он неопределённо. — Работаю.

— Вы мне все-таки дайте почитать, когда выйдет, — с благоговейным придыханием попросила Вера.

— Обязательно дам, — пообещал Никита.

Угощение выглядело настолько соблазнительным, что он с удовольствием принялся за еду. Вера подкладывала ему в тарелку лучшие куски и все подливала наливку. Когда настал черёд горячего, Никита был уже прилично навеселе. Вера перестала казаться ему толстой и вульгарной, напротив, она выглядела весьма милой и свойской. Ему захотелось расслабиться, поболтать с ней и даже поцеловать ее в пунцовые влажные губы. Последнее он и сделал, неловко перегнувшись через стол и едва не опрокинув блюдо с холодцом. Вера неожиданно смутилась, став совершенно багровой, вскочила и щелкнула клавишей старенького магнитофона. По комнате разнеслись звуки шансона.

— Давай потанцуем, — предложила Вера Никите.

— Давай.

Он обнял ее за талию. От неё шёл жар и аромат дешевых духов вперемешку с запахом пота. Танцевала она неожиданно хорошо, двигаясь легко и непринуждённо, в то же время отдавая Никите роль ведущего. В голове у Никиты плавал приятный туман. Совсем близко были глаза Веры, тёмные, немигающие, как два блестящих агата.

Они прошли три круга и плавно спланировали на диван. Вера навалилась на Никиту своей пудовой грудью, притиснув вплотную к стене и дыша ему в лицо смесью перегара и чеснока.

— Милый. — Ее губы коснулись его щеки, затем подбородка. — Ты такой милый! Совсем как мой Антоха.

«Антоха — это, наверное, покойный муж», — подумал Никита и тут же провалился в темную и сладкую полудрему. Словно во сне, он чувствовал у себя на лице прикосновения мокрых Вериных губ, ее руки тискали его плечи. Кажется, она что-то шептала, а может, кричала. Он больше ничего не чувствовал, погружаясь все глубже и глубже, на самое дно мягкого, бархатисто-чёрного ущелья...

Очнулся он внезапно, словно вдруг вынырнул из омута. Адски болела голова, на груди лежало что-то тяжелое, точно бетонная плита. Никита попытался шевельнуться, но все тело точно парализовало, и оно не повиновалось. Ему с трудом удалось немного приподнять голову, и он увидел на месте предполагаемой бетонной плиты мощную спину Веры, причём абсолютно голую. В темноте ее кожа молочно белела, над диваном витал звучный храп. Никита с ужасом понял, что роскошные груди продавщицы пригвоздили его к их любовному ложу, и выбраться из-под них, не разбудив хозяйку, не удастся. Все же он изловчился и ухитрился слезть на пол. Вера, продолжая храпеть, перевернулась на спину — пружины дивана угрожающе затрещали. Никита, стараясь не смотреть на обнаженный бюст продавщицы, поспешно двинулся к порогу, на ходу поправляя одежду.

211

Его шатало из стороны в сторону, во рту пересохло. Очевидно, Вера подмешала в наливку чего-то крепкого, чтобы достичь своей цели и уложить гостя в койку.

На дворе было темным-темно. Никита, тихо чертыхаясь, побрел к калитке, цепляясь за кусты, чтобы не упасть. И как это его угораздило? Что, интересно, думает Влада? Ведь он ушёл от силы на пару часов. И как он предстанет перед ней в таком виде? Позор, да и только.

Никита шёл по тропинке под горку, ёжась от прохладного ночного ветерка и клянясь в душе никогда больше не ходить в гости к продавщице. Постепенно ему становилось легче. Хмель выветрился из головы, противная сухость во рту исчезла, а с ней и неприятный шум в ушах. Никита вытащил из кармана телефон и глянул время: всего-то одиннадцать с мелочью. Вполне можно ещё пройтись с Владой, прогулять Шоколада на сон грядущий. Он пригладил волосы, одернул рубашку и невольно ухмыльнулся, вспомнив необъятные Верины телеса. Знал бы Куролесов, как он зажигает в его деревне!

В окнах домика горел свет. Никита увидел его издалека, и на сердце стало тепло и хорошо. Владка не спит, ждёт его. Сейчас они выпьют чаю и пойдут по тропинке вдоль холма. Шоколад будет лаять и бросаться на полевых мышек, Влада — звонко смеяться над ним... Красота... Он ускорил шаг и зашёл в калитку. Ему пришла в голову озорная мысль напугать ее: потихоньку подкрасться и стукнуть в окно. Влада не из робких, но все же интересно посмотреть на ее реакцию.

Никита на цыпочках подошёл к дому и заглянул через стекло в комнату. Влада сидела за столом с телефоном в руках и что-то говорила в динамик, а потом поднесла трубку к уху. Никита понял, что она записывает голосовое сообщение. «Интересно, кому это?» — мелькнуло у него в голове. За все время с момента своего второго появления, Влада при нем никому не звонила и не писала. Телефон молчал, она брала его лишь для того, чтобы включить музыку или посмотреть время. Никита осторожно дошёл до крыльца, бесшумно приоткрыл дверь и прислушался. Из комнаты в сени долетал приглушённый голос Влады.

— Говорю тебе, у меня нет выхода. Поэтому я здесь.

Никита вцепился пальцами в дверную ручку, весь превратившись в слух. Влада помолчала, очевидно, прослушивая ответ, а затем сказала:

— Он ни о чем не догадывается.

«Он». Кто это «он»? Никиту прошиб ледяной пот. Что, если Влада имеет в виду его? О чем он должен догадаться? О том, что она убила Надю? Но ведь он сто раз говорил, что подозревает ее, не верит ей! Значит, она не об этом. Тогда о чем?

— Он просто считает, что я сильно изменилась, типа поменяла все привычки. Ем другой рукой, пою не так, не помню то, что было. Но он ничего не понял.

«Господи! Да что нужно было понять?»

— Ладно, давай, пока.

Послышался скрип табурета, затем шаги — Влада шла к двери.

Никита на ватных ногах вывалился из сеней на крыльцо и бросился к сараю. Сердце его бешено стучало. Он остановился в темноте, прислонился спиной к дощатой стене. По его лицу и по шее тек пот. О чем сейчас говорила Влада с неизвестным собеседником? Никита вдруг почему-то ясно вспомнил сон, приснившийся ему в первую же ночь, как они поселились в доме. Тогда он видел умершую Надю, и она сказала ему, что Влада больше не любит конфеты. Так и оказалось. Но что еще она сказала? Что?? Никита скрипнул зубами от напряжения, но мысль упорно увиливала в сторону.

Дверь дома распахнулась, двор прорезала полоска света. На крыльце показалась Влада.

— Дед! Ты где? Я же слышала, что ты пришёл.

Никита вжался в стену, словно стараясь расплющиться и слиться со старыми, потемневшими досками.

— Дед! — В ее голосе послышалось беспокойство. — А дед?

Громко залаял Шоколад. Он-то чует, что хозяин рядом, и сейчас прибежит сюда. Странно, что все это время он молчал. Спал, что ли?

— Дед, перестань. Это вовсе не смешно.

Память лихорадочно уцепилась за слово «вовсе». Что в нем, в этом слове? Почему все внутри похолодело, когда она его произнесла? «Вовсе»...

— Шоколад, где наш дед? Ищи его. — Влада сделала шаг с крыльца на траву.

И в тот момент, когда ее нога коснулась земли, Никита вспомнил:

«Она ведь вовсе не Влада, разве ты не видишь?»

— Вот ты где! — Она уже стояла на дорожке напротив сарая. — Ты с ума сошёл? Знаешь, который час? Чего ты тут прячешься?

Да, он сошел с ума. Так не бывает! Не может быть. Влада — это не Влада! Не его Влада, не та девушка, которая пришла к ним в дом погожим сентябрьским вечером. Она говорит не так, ест не так, поёт не так — все делает не так. Она даже не сразу отзывается на имя! И Шоколад не узнал ее, когда она зашла в квартиру.

Как он мог не замечать этого прежде? И кто этот неведомый двойник, как две капли воды похожий на Владу? Боже, во что он влип...

— Ты что здесь делаешь? — Влада скрестила руки на груди.

На ней был тот самый сарафан, который он купил ей в сельпо, синий, в желтый горошек. Волосы она подколола на макушке двумя ярко-желтыми заколками. У ее ног вился пёс.

— Ну ты и загулял. — Влада окинула его насмешливым взглядом. — А я жду его, жду! Идём ужинать. Я блинов напекла, масляных.

Никита с трудом перевёл дух.

— Ты иди, а я сейчас. Скоро приду.

— Да что происходит? — рассердилась она. — Сначала выговариваешь мне, что я никудышная хозяйка, не готовлю, не убираюсь. Я весь вечер потратила на эти долбаные блины. Получилось вкусно! Немедленно пошли, а то я обижусь.

— Скажи правду, кто ты? — шепотом проговорил Никита. Ему казалось, что земля дрожит у него под ногами, вот-вот — и развернётся адова пропасть.

— Здрасьте-мордасьте, забор покрасьте. — Влада уперла руки в боки. — Вроде ж ты не пьешь, откуда белая горячка? Внучка я твоя, Влада, приятно познакомиться.

Она шутливым жестом протянула ему руку, и Никита невольно отпрянул в сторону.

— Дед, ну хватит. — В ее голосе послышалась усталость. — Правда, все остынет. Пошли, а?

— Хорошо, пойдём.

Он послушно поковылял за ней в избу. Она усадила его за стол и поставила перед ним тарелку.

— Вот, попробуй.

Никита машинально поднёс ко рту вилку и начал жевать. Вкусно. Действительно вкусно! Кажется, она научилась готовить. И комната чисто убрана, половицы блестят, кровати аккуратно заправлены. Да только что толку от этого?

— Ну как? — горделиво поинтересовалась Влада, забирая у него пустую тарелку.

— Отличные блины.

— Спасибо на добром слове, — едко произнесла она. — Это все, что ты можешь сказать?

— Боюсь, что да.

— Ладно. Тогда, может, попоем? Достанешь гитару?

Он глянул на неё с изумлением.

— Сейчас? Ночью?

— Ну да, а что? Соседей нет, никто не станет скандалить.

Она стояла перед ним с тарелками в руках, слегка покачиваясь с пятки на носок. На губах играла добродушная улыбка.

— Ты этого хочешь? — Никита впился глазами в ее розовое личико, словно хотел проникнуть через красивую оболочку к тому, что творилось внутри этой рыжей головы.

— Конечно, хочу, раз спрашиваю. — Она поставила тарелки в таз с водой.

— Ну ладно, давай.

Он снял со стены гитару и начал настраивать. Влада тёрла мыльной губкой тарелки и тихо мурлыкала себе под нос.

— Я готов, — сказал Никита.

— Я тоже.

— Что будем петь?

— Давай Агилеру?

— Давай.

Он заиграл. Она вступила, тихо, словно в комнате кто-то спал и она боялась его разбудить. Постепенно голос ее окреп, взлетел кверху, разбивая воздух серебряными брызгами.

«Господи, дай мне сил верить ей! Верить этому хрустальному голосу, чарующей, беспечной улыбке, юному блеску в глазах. Ведь нельзя же не верить тому, кого любишь. И нельзя любить того, кому не веришь...»

Она замолкла, села рядом с ним на кровать. От неё вкусно пахло молоком и топленым маслом.

— Давай ещё споем?

— Давай. — Никита мгновение раздумывал, а потом заиграл вступление к ее композиции.

Она, наклонив голову, слушала переборы струн, и ее губы беззвучно шевелились.

«Вступи! Ну, давай, начинай петь! Это же твоя песня, твоё творение. Давай же, Влада! Если ты Влада...

Он доиграл последний аккорд. Она резко выпрямилась и встала.

— Зачем ты? Я не хочу. Не помню, да и не нравится она мне. Лучше другую, ту, что мы вчера пели.

— Другую так другую.

Она пела, он машинально щипал пальцами струны. В голове сверлила одна мысль: «Надо звонить Сашке, просить у него помощи. Одному мне не справиться с этой фантасмагорией. Придётся рассказать ему все с самого начала. Иначе дело кончится психушкой».

25.

Назавтра он оставил Владу в избе, а сам отправился якобы за продуктами. Однако на самом деле, отойдя от дома на приличное расстояние и взобравшись на холм, где хорошо ловилась сеть, Никита достал телефон и набрал номер Куролесова.

— О, привет, старик! Как ты там? Я уж соскучился. Что у вас? Все в порядке?

— Саш, можешь приехать? — без обиняков, в лоб, спросил Никита.

— Хороший вопрос. — Куролесов слегка замялся. — Наверное, могу на выходных. Мы как раз с Ленкой и мальчишками хотели на пикник выползти. Правда, в Подмосковье, но можем и в Тверь сгонять, не проблема. Что-то случилось?

— Ничего не случилось. Помощь нужна по хозяйству. Одному не справиться, а дядю вашего не хочется напрягать.

— Понял, буду. Баньку готовь.

В трубке послышались гудки. Никита облегчённо перевёл дух.

— С кем это ты балакаешь? — раздался сбоку насмешливый голос.

Никита обернулся и увидел Веру. Та шла с пригорка с двумя огромными авоськами. Ее роскошный бюст, туго обтянутый синтетической блузкой, плыл ему навстречу, как мощный тихоокеанский лайнер.

— День добрый, — приветствовала она Никиту.

— Здравствуй, Вера, — кисло поздоровался тот.

После вчерашнего ему меньше всего хотелось с ней общаться. Глядя на ее лоснящееся лицо с влажными малиновыми губами, он вновь почувствовал, что его мутит.

— Чё грустный такой? — Она игриво заглянула ему в глаза.

— Вовсе нет. — Никита преувеличенно внимательно уставился на свои ботинки.

— Ну я же вижу — смурной какой-то. А исчез вчера почему? Тайком, как воришка, не разбудил даже.

— Не хотелось тебя беспокоить, — соврал Никита.

— Ах ты, дурачок, — нежно проворковала Вера. — Да разве ж это беспокойство? Женщине приятно, когда ее будят после ну… этого… — Она захихикала и конфузливо потупилась.

Никите стало противно до омерзения. И как его только угораздило оказаться в одной кровати с этой толстой, вульгарной коровой? А все наливка, будь она неладна, поистине ведьминское зелье, специально, чтобы заманивать в сети таких простаков, как он.

— Когда зайдёшь теперь? — Вера придвинулась к нему вплотную и жарко зашептала в ухо: — Давай сегодня вечерком, а? Я баньку истоплю, попаримся.

— Нет, Вера, не выйдет. — Никита решительно отстранился от неё и даже отошёл на безопасное расстояние. — Дела у меня.

— Какие дела? Книжка опять? — Вера кокетливо надула губки. — Мог бы и отложить на один вечер. Есть ради чего.

Она многозначительно подмигнула. Никита понял, что просто так она не отстанет, нужен стратегический подход.

— Давай на следующей неделе.

Он сказал это исключительно ради того, чтобы отделаться от нее, однако продавщицу ответ вполне удовлетворил. Очевидно, она привыкла получать отказы от мужиков.

— Ладно, ловлю на слове. На следующей неделе жду в гости. — Она тряхнула жидкой шевелюрой и потащила свои сумки дальше по дорожке.

Никита вздохнул с облегчением и пошёл обратно к дому.

— А где продукты? — удивленно поинтересовалась Влада.

— Продукты?

— Ну да. Ты ж вроде в магазин собирался. У нас гречка кончилась, яйца. И колбасы купить нужно.

Никита совсем забыл о том, что сказал Владе. В его голове крутился разговор с Сашкой и его завтрашний приезд. При мысли о том, что опять придётся общаться с Верой, его прошиб холодный пот.

— Знаешь, черт с ними, с продуктами! Завтра схожу или послезавтра. У нас ещё картошки полно и фарш остался говяжий.

Влада пожала плечами. Никита вздохнул с облегчением. Сашка с Леной наверняка не приедут порожняком, привезут с собой всякой всячины. А нет — можно по-быстрому смотаться на машине в райцентр.

Он совсем успокоился и принялся за колку дров.

26.

Сашка приехал назавтра, часов в одиннадцать, с Леной и обоими сыновьями. Мальчишки тут же кинулись осваивать участок, через пять минут их и след простыл. Как и предполагал Никита, в багажнике куролесовского «Вольво» оказались две громадные сумки с продуктами.

Влада стояла на дорожке возле дома и с интересом смотрела, как гости разгружают машину. Никита ничего не сказал ей о приезде Куролесова с семьей, и для неё их визит стал сюрпризом.

Лена закончила вынимать продукты, подошла к Владе и протянула ей руку:

— Меня Леной зовут. А вас?

— Я Влада.

Сзади подоспел Куролесов.

— Так вот какую родственницу ты тут прячешь. — Он скользнул по Владе оценивающим взглядом. — Очень даже симпатичная. Я Александр, давний друг Никиты.

— Очень приятно. — Влада сдержанно улыбнулась.

— Лена — хозяйка нашего дома, — объяснил ей Никита. — Благодаря ей мы нашли тут приют.

— Перестаньте, Никита Кузьмич. — Лена махнула рукой. — Мы только рады, что кто-то присматривает за домом и участком. Без папы тут все заросло и пришло в запустение. А вы, я смотрю, отлично обустроились. Просто глаз радуется.

Она зашла в дом и вскоре оттуда донёсся ее голос:

— Влада, можно вас на минутку?

Та вопросительно взглянула на Никиту.

— Ну чего ты? Иди, раз зовут, — сказал он. — Может, помощь какая нужна.

Влада кивнула и скрылась за дверью. Сашка поискал глазами пацанов:

— Какие тут угодья! Запросто заблудиться можно.

— Не бойся, не заблудятся, — проговорил Никита.

Он волновался — как-никак первый раз представил Владу чужому взгляду.

— Ленка сейчас что-нибудь состряпает, — мечтательно произнёс Сашка. — А то жрать хочется, просто мочи нет. Мы в шесть утра из дома уехали, я даже чаю не попил.

Как бы в ответ на его слова Лена выглянули из сеней.

— Мальчики, помогите печь растопить. Хочу по старинке обед приготовить, в печке.

Сашка и Никита зашли в комнату. Лена пыталась разжечь дрова, но они не схватывались, только дымили и гасли. Влада сосредоточенно разбивала яйца в большую миску.

— Сейчас, погоди. — Никита поджег бумагу, кинул в топку, пошевелил кочергой, и поленья запылали с веселым треском.

— Вот я неумеха, — засмеялась Лена. — Вроде все детство провела в этом доме, да и юность, а печку так и не научилась топить. Этим всегда отец занимался, а мы с мачехой только готовили и убирались.

— Ничего, эта наука немудреная, — утешил ее Никита. — Научиться раз плюнуть, было бы желание.

— Ну, желание-то есть. — Сашка улыбнулся и обнял Лену за талию. — Ленка у нас мечтает о загородной жизни, все меня подбивает бросить завод и уехать сюда. А как я его брошу? Считай, всю жизнь с молодости на нем отпахал.

— Можно и тут работу найти, где-нибудь в районе. С твоими-то руками и мозгами это несложно будет. В строительстве, например. — Лена ласково потрепала Сашку по волосам. Он зажмурился, как сытый кот.

— Возраст не тот для строительства, мне уже полтос, а в бригадах мужики молодые, крепкие.

— А ты будь бригадиром, — засмеялась Лена.

— Это тоже не так просто, как тебе кажется. — Сашка подставил голову под Ленину ладонь, ожидая новой порции ласки, но она легонько отодвинула его в сторону.

— Санечка, нам пора дела делать, а то мы ничего не успеем.

— Ну делайте свои дела. А мы пойдём, покурим. — Сашка подмигнул Никите.

— Чего ты болтаешь? — Лена добродушно усмехнулась. — Кто это тут курит? Ты сроду не дымил, а Никита Кузьмич и подавно, с его-то сердцем. Поговорить охота, посекретничать — так и скажите.

— Все-то вам, женщинам, надо назвать своими именами, — ухмыльнулся Сашка и, взяв Никиту за рукав, вывел его из избы во двор. — Ну, где тут у тебя укромный уголок?

— Вон там. — Никита кивнул на скамейку под рябиной. Он давно ошкурил ее и покрасил, кроме того, соорудил вторую скамейку и небольшой столик.

Они уселись в теньке, и Сашка вольготно вытянул длинные ноги.

— Эх, хорошо. — Он вздохнул полной грудью. — Ленка права. Вот он, отдых, и никакая Турция не нужна. Взять бы пацанов на месяц и пожить тут. Утром босиком на речку, вечером костерок, рыбалка, шашлычок. Несбыточные мечты!

— Почему несбыточные? — удивился Никита. — Лена говорила, что у тебя отпуск скоро. Вот и приедете.

— Приедете. — Сашка грустно усмехнулся. — Как бы не так! Люба мальчишек не отдаёт. На пару дней — и то со скандалом. Ее можно понять — она при одном имени Лены испытывает что-то вроде острой зубной боли. А тут ещё и детей ей отдай!

— Отдаст, — утешил Сашку Никита. — Люба твоя женщина умная и добрая. Зачем ей детей отца лишать? Кто ещё с ними босиком на речку да на рыбалку? Чужой дядька? Да когда ещё он появится.

— Это ты верно говоришь, — согласился Сашка. — Ну, будем работать над ситуацией. Ты излагай давай, чего хотел? Где помощь требуется? У тебя тут порядок идеальный, не похоже, что с хозяйством не справляешься. Так что давай начистоту!

— Проблемы у меня, Саня, и большие. — Никита вздохнул, опустил голову и уставился на сочную зелёную траву под ногами.

— Это из-за неё? Из-за родственницы твоей? — Сашка кивнул в сторону дома, где осталась Влада.

— Она мне не просто родственница, Саш, а внучка! — выпалил Никита и замолчал, наблюдая за реакцией друга.

— Внучка? — Сашка удивлённо присвистнул. — Это откуда ж такая? От Кольки небось? Нагулял где-то?

— В том то и дело, Саш, что не от Кольки. И не от Аллы, та вообще кроме своего Рудольфа других детей категорически не хочет.

— А откуда же тогда? — опешил Куролесов.

— Был у меня грех давно, лет сорок назад. Все почти как у тебя. Поехал в командировку, встретил женщину, влюбился. Думал даже от Нади уйти, но остался. — Никита снова тяжело вздохнул. Куролесов слушал его внимательно, не перебивая. — Ну и вот. Уехал я тогда, бросил ее, Машу, как последняя скотина. А она ведь в положении была.

— В положении? — встрепенулся Сашка и покачал головой. — Ну история с географией! У тебя что же, ещё ребёнок имеется? Сын, дочь?

— Дочка, Аня. Умерла она, царствие ей небесное. Я, чудовище, так ни разу и не увидел ее.

— Как не видел? — изумился Куролесов.

— Так. Маша мне ничего не сказала. Не написала — не знала, где я живу. Могла бы разыскать, но не захотела. То ли от гордости, то ли совестливая была — решила в семью чужую не соваться. Короче, родила она девочку, а та, в свою очередь — тоже. Ни Машеньки, ни Анечки нет на свете, а Владочка осталась.

— Так она дочка этой самой Ани? — догадался Куролесов. — Вот это финт!

— Да, наша с Машей внучка. Разыскала меня по Интернету, приехала в Москву. Ещё осенью — Надя жива была.

— Что она сказала тебе?

— Надя? Ничего. Сначала, конечно, ворчала, ругалась. Но... ты ж меня знаешь, я никогда ангелом не был по части женщин. И она знала. Да и старые мы уже, чтобы счёты сводить. Поворчала и простила, а Владу полюбила. У неё же внуков, считай, не было. Рудольф не в счёт в своей Германии, да ещё и имя дурацкое... тьфу, — Никита сокрушённо махнул рукой и замолчал.

Молчал и Сашка, переваривая информацию. Никита взъерошил шевелюру и снова заговорил, тише и медленней.

— А теперь, Саня, самое ужасное. Я ведь ничего не рассказал тебе про то, как Надя умерла.

— Как это? Ты говорил — со стремянки упала.

— Ну да. Но ты не в курсе, что Влада... она в этот момент была в квартире.

— Да ты что?? — Сашка чуть не свалился с лавочки. — И что? Куда она потом делась? Я ее ни разу у тебя не видел.

— То-то и оно! Убежала она. Скрылась и пропала. Меня следователь из МВД мотала по допросам. Они ее по камерам видеонаблюдения сразу отследили. Я думал, Влада на занятиях, в колледже, а она домой вернулась. Надя перед смертью сказать мне что-то хотела, все шептала «Влада... Влада...» Видно что-то произошло между ними — ссора или ещё что. Выходит, Влада виновата в том, что Надюши... — У Никиты перехватило горло, он судорожно, без слез, всхлипнул.

— Ну, ну, старик. — Куролесов осторожно сжал его ладонь. — Тихо, успокойся. Нас там не было, мы ничего не знаем. Расскажи, что дальше было.

— Дальше! Дальше она исчезла без следа. Телефон отключён, не дозвониться. Больше того, выяснилось, что она мне врала. Говорила, что поступила в музыкальный колледж, деньги взяла на оплату, причем немалые. Но в колледже ее не оказалось. Искали и не нашли.

— Погоди, Кузьмич. А ты сказал следакам... ну, что она твоя внучка?

— Нет!

— Почему??

— Боялся я, Сань. Не хотел рассказывать им про Машу. Зачем покойницу тревожить? Да и представь: узнали бы менты, что я крутил шашни с другой женщиной и у меня от неё ребёнок. Мало ли что они подумали бы?

— Ну ты даёшь! — Сашка смотрел на Никиту круглыми глазами. — Так ты у нас лжесвидетель, стало быть!

— Так и есть. — Никита потупился.

— Ну вообще-то я тебя понимаю. Девка что надо! Ясно, что ты к ней привязался и не хотел сдавать ментам.

— То-то и оно, что не хотел. Но мне несладко пришлось. Баба, которая вела Надино дело, все твердила, что она аферистка, мошенница, а возможно, и убийца. Представь, каково мне было это слушать!

— Представляю. Я только одно не пойму, откуда она опять взялась? Ты ж говоришь, она пропала бесследно.

— Да, пропала. Я уж надежду потерял ее когда-нибудь увидеть. А тут после больницы прошибло меня: чувствую — помираю. Все отдал бы, чтоб хоть одним глазком на нее взглянуть. Ну и пошёл на Арбат.

— На Арбат? Зачем?

— Забыл я тебе сказать — она пела там в переходе с группой. Был там один хлыщ, он, кажется, за ней ухаживал. Я решил его поспрашивать: может, знает, где она?

— Поспрашивал?

— Да. Ничего нового он не сказал. Неприятный тип. Я уверен, что он все знает про Владу, но его голыми руками не взять. Полиция и та ничего не добилась, а уж я и подавно.

— Его тоже допрашивали? — догадался Сашка.

— Да. Без толку.

— Ну ладно, а дальше-то что? Как ты нашёл ее?

— Другой парень подсказал, просто прохожий. Услышал, как я ребят расспрашиваю о рыжей девушке, и сказал, что видел ее на станции Коптево. Я поехал туда, и точно — она там, поёт, как ни в чем не бывало. Представляешь? Ее ищут по всей России, а она спокойно распевает себе на окраине Москвы.

— Что она сказала, когда тебя увидела?

— Сначала сделала вид, что вообще не знает, кто я такой. Потом заявила, что ей нечего бояться, она ни в чем не виновата. И ушла.

— Ушла?

— Да, ушла. Вернулась примерно через неделю без вещей, без документов. Сказала, что на неё наехали местные бандюки, и попросила помощи. Хотела отсидеться у меня какое-то время, ну я и позвонил тебе, попросил убежища в этом домике. Я боялся, если честно, не бандюков, а того, что соседи ее увидят и стукнут в ментовку. Майорша эта, которая вела следствие, сильно дотошная дама. Дело закрыли, а она продолжала копать. Один звонок — и Влада в кутузке. А я не хотел того. Не для того я столько ее искал, чтобы опять потерять.

— Да, это верно, — задумчиво протянул Сашка и сорвал с рябины гроздь зелёных ягод. — Ну хорошо, положим. А сейчас-то что не так? Живет она с тобой, не тужит. Говорит, что ни в чем не виновата. Как-то объясняет, почему убежала тогда?

— Говорит, что испугалась.

— Ну, звучит правдоподобно. В ее возрасте можно испугаться. Мозгов ещё не хватает, чтобы верно сориентироваться.

— Так-то оно так, — проговорил Никита, — но есть ещё кое-что.

— Что? — Сашка глянул на него с недоумением.

— Понимаешь, странная она стала после возвращения.

— Странная? В каком смысле?

— Не знаю, как объяснить тебе. Все в ней поменялось — привычки, вкусы. Даже поёт она по-другому. Здорово, но иначе. А главное, не помнит свою же композицию, ту, которую сама сочинила и исполняла. Ей-богу, не помнит! Клянусь.

Куролесов пожал плечами.

— Ну, я в музыке полный профан. На мой взгляд, ничего такого в этом нет. Забыла и забыла. В их возрасте все забываешь на следующий день. Даже с кем вчера спал — и то не помнишь, а ты о композиции!

— Нет, она должна была помнить! — не унимался Никита. — А еще... она стала левшой, а была правша.

— Может, универсал? — засмеялся Сашка.

— Перестань! Мне не смешно. — Никита снова вздохнул. — Я... кажется, с ума схожу. Так счастлив был, что она вернулась — родная, своя в доску. Я за неё, кажется, в огонь и в воду. А позавчера случайно подслушал, как она записывает сообщение и кому-то говорит, что я НИЧЕГО НЕ ПОНЯЛ. Ты слышишь, Сань! НЕ ПОНЯЛ!! Чего не понял?? Что я должен был понять? Что она — это не она, а кто-то другой?? Чужой, опасный... Я... я боюсь, Сань! Ей-богу, боюсь. Кто это, если не Влада? Как такое возможно? Что, если, пока я сплю, этот кто-то воткнет в меня нож? Или задушит подушкой...

— Ну ты и сказанул. — Куролесов недоверчиво покачал головой. — Она же девушка. Божий одуванчик

— Ага, одуванчик. — Никита усмехнулся. — Ты бы видел, как этот одуванчик по деревьям лазит! Раз — и на самой вершине сосны. Нет, Саша, внешность обманчива. И вот ещё что — пёс ее вначале не признал, лаял на неё. Я ещё подумал, что он позабыл, а потом вспомнил. А ведь собаки не забывают хозяев! Шоколад считал Владу хозяйкой, она гуляла с ним, играла, кормила его. Он не стал бы лаять просто так.

— Бред какой-то. — Куролесов смерил Никиту внимательным взглядом. — Шизофрения прямо.

— А то, — согласился Никита. — Думаешь, я сам не понимаю, как все это выглядит? Но ничего не могу с собой поделать. Вчера чуть не сорвался: захотелось схватить ее и трясти, трясти, пока она не скажет правду или эта правда из неё не выскочит сама.

— Ничего из неё не выскочит, — мрачно проговорил Сашка, подумал немного и прибавил:— Возможно, она специально себя так ведёт.

— Как? Зачем??

— Чтобы держать тебя в неведении и напряжении. Может, ей так удобнее контролировать ситуацию. Мы же не знаем, какие она преследует цели, находясь здесь, с тобой. А вдруг она вовсе не внучка тебе? Ты об этом думал?

— Я об этом думаю каждый день, — тихо произнёс Никита. — Мне... знаешь, все равно. Даже если она не внучка моя и Маши — все равно она мне уже родная. Я не смогу без неё, но должен знать правду о том, кто она и что произошло в тот день, когда погибла Надя.

— Как ты собираешься это узнать?

— Вот за этим я тебя и позвал, — устало проговорил Никита и встал со скамейки.

Сашка тоже встал, сорвал ещё одну кисть рябины и стал подбрасывать ее на ладони.

— Мда, задачка, нечего сказать. Ну, я могу поговорить с ней. Но она наверняка мне ничего не скажет, как и тебе.

— Не скажет, — угрюмо подтвердил Никита. — Если только Ленку попросить? Она у меня психолог, может найдёт к девчонке подход?

— Вряд ли, — с сомнением произнёс Никита.

Куролесов вдруг присвистнул и хлопнул себя по лбу.

— Ну и идиоты мы с тобой! Есть же ведь генетическая экспертиза! Анализ ДНК, устанавливающий родство. Неужели ты об этом не додумался, Кузьмич?

— Да думал я об этом, много раз, — нехотя проворчал Никита.

— Ну так и что? Почему не сделал до сих пор?

Никита молчал, не зная, что ответить другу. Действительно, почему он так и не совершил это простое действие, позволяющее расставить точки над «i»? Ведь ещё когда он только вёз Владу в лесничество, то уже планировал провести экспертизу. Но вместо этого выбросил в мусорное ведро ее жвачку — отличный генетический материал. Потом он еще не раз находил эти самые жвачки, которые Влада обожала, однако так и не воспользовался ими. Равно как и Владиной зубной щёткой, которая всегда была в его распоряжении.

Куролесов продолжал смотреть на Никиту вопросительно, и тот неуверенно выдавил:

— Да несподручно все как-то было. Сложно. Прямо так в лоб потребовать у Влады, чтобы она разрешила взять материал для анализа, неловко. Она могла и не согласиться. А тайком тоже трудно. И потом, ехать надо в райцентр, а это значит оставить ее здесь одну.

Никита отлично понимал, что кривит душой. На самом деле ему настолько страшно было убедиться наверняка в том, что Влада ему не внучка, что он предпочитал терзаться неведением, нежели в одночасье узнать горькую правду.

— Ты вот что, — проговорил Сашка, — завтра изловчись как-то и возьми у Влады материал. А я на днях приеду, заберу у тебя его и отвезу в лабораторию. Можно и по почте отправить, но это долго. Так быстрее будет. Договорились? — Куролесов вопросительно взглянул на Никиту.

Тот поколебался и утвердительно кивнул.

— Ну вот и славно. Для начала узнаем наверняка, есть между вами родство или нет. А потом уж будем дальше копать.

— Как? — удивился Никита.

— Поедем в М. Найдём там дом, в котором жила твоя Мария. Ты ведь помнишь адрес?

— Адрес не помню, а найти найду. У меня память визуальная отличная.

— Это хорошо, что память отличная, — удовлетворенно заметил Сашка.

— А что мы там делать-то будем, в М.? — недоуменно спросил Никита.

— Походим по соседям, порасспрашиваем их о гражданке Свиристелкиной и о рыжей девушке по имени Влада. Кто-нибудь что и расскажет. Ведь явно есть между ними какая-то связь, иначе откуда бы эта юная леди узнала о тебе.

— Ты прав. — Никита тяжело вздохнул. — Только как я Владу оставлю здесь одну?

— За ней Лена приглядит.

— Она не сможет. Ты Владу плохо знаешь. Она ее обманет в два счета. Вокруг пальца обведёт и была такова.

— Ну это положим, обведёт. Ты мою Ленку тоже не знаешь. Ей палец в рот не клади, даром что тихая да мягкая.

Никита молчал, обдумывая слова Куролесова. Без сомнения, он прав. Ситуация зашла слишком далеко. Возможно, он с головой погрузился в мир иллюзий и покрывает опасную преступницу, скрывая ее от следствия. Возможно, Влада сама в беде, и ей необходима помощь. Но не такая, какую он оказывает ей, упрятав ее в лесном домике и не разобравшись, что к чему. Нужно понять, в чем дело. Связать воедино покойную Машу, появление Влады у них в доме, трагедию, случившуюся с Надей, пропажу денег. И то, что происходит сейчас.

— Что молчишь? — спросил Сашка. — Я тебе дело говорю. Я с послезавтра как раз в отпуске. Могу помочь. Поедем вместе. А по дороге как раз заедем в лабораторию, сдадим материал.

— Ну фиг с тобой, поедем. — Никита решительно махнул рукой.

— Вот это я понимаю, разговор, — обрадовался Сашка. — Надо с Ленкой все обсудить. Объяснить ей, что к чему.

— А что я Владе скажу? — забеспокоился Никита. — Она же спросит, отчего это я вдруг уезжаю? И почему с ней остаётся посторонняя женщина.

— Ну, во-первых, не посторонняя, а хозяйка дома. Она в принципе может в любой момент сюда приехать и остаться на сколько захочет. А во-вторых, скажем ей, что у тебя срочные дела. В Москве. По поводу пенсии, например. Зачем ей знать о поездке в М.

— Тоже верно, — согласился Никита. Поколебался немного и нерешительно спросил: — А ты правда не боишься за свою Лену?

— Да что ей сделается? Ты прямо думаешь, что Влада эта монстр какой-то. Брось, она всего лишь лживая уличная девчонка. Ленка сама такой была в подростковые годы, она мне рассказывала, как убегала из дома и неделями жила на улице. Так что, у неё опыт в подобных делах. Они друг друга поймут.

— Хорошо, если так. — Никита тяжело вздохнул. Ему ужасно не хотелось оставлять Владу и вообще расставаться с ней. Он вынужден был признаться сам себе, что по-прежнему привязан к ней, да что там привязан, любит всей душой, несмотря на страх и недоверие.

Из окна высунулось раскрасневшееся лицо Лены.

— Мальчики, за стол! Обед готов.

— Идём. — Куролесов подхватил Никиту под локоть. — Поедим, а там уж будем решать, как и когда раскрывать карты.

Они зашли в дом. Куролесовы-младшие уже сидели за столом, с нетерпением постукивая ложками по тарелкам. Лена поставила на подставку огромную кастрюлю с гороховым супом, от аромата которого можно было проглотить язык. Влада в это время нарезала сало и маринованные огурчики.

— А у меня тоже презент к столу, — торжественно объявил Сашка и извлёк из-под полы бутылку коньяка. — Владочка, доставай рюмашки.

Та послушно залезла в буфет и поставила на стол стопки.

— Мне не надо, — быстро проговорила Лена и отодвинула рюмку. — Я лучше морс.

— Да ладно тебе, Лен, одну-то можно, коньячок отличный.

Сашка хотел забрать у нее стопку, но она ловко увернулась и поставила ее обратно в буфет:

— Я сказала, не хочу.

— Ну нет так нет, — согласился Сашка.

Никита видел, как он смотрит на Лену — глаза блестели, лицо дышало нежностью. Надо же, каким, оказывается, можно быть счастливым на старости лет...

— Садимся, друзья, садимся. — Лена зачерпнула половником суп и стала разливать его по тарелкам.

— Сядь рядом со мной, — тихо сказал Владе Никита.

— Хорошо. — Та кивнула, отодвинула стул и уселась сбоку от него.

— Ну, старик, за тебя! — Куролесов наполнил стопки. — За твоё почетное дедовское звание! Внучка у тебя что надо, красавица. Надеюсь, и умница.

— Что есть, то есть. — Никита залпом опрокинул рюмку. Краем глаза он видел, как Влада сделала то же самое. За все это время они ни разу не выпили вместе ни грамма. Может, хоть алкоголь заставит ее развязать язык

Суп пошёл «на ура», а за ним изумительные котлетки из индейки с пюре и овощным салатом. Потом пили чай с яблочным пирогом, щедро присыпанным сахарной пудрой.

— Тебе бы поваром работать, — похвалил Лену Никита. — А ещё лучше, свой ресторан открыть. Надя покойная, уж на что хозяйка была, а и она так вкусно не готовила.

— Спасибо на добром слове. — Лена сдержанно улыбнулась, но видно было, что ей приятно. Сама она ела мало, только суп и чай с кусочком пирога. — Напробовалась, пока варила, — объяснила она.

Никита внимательно посмотрел на Владу. Щеки у той горели, глаза слегка затуманились. Она выглядела умиротворённой и благодушной.

— Может, споёшь нам? — спросил ее Никита.

— Что, прямо сейчас?

— А почему нет? Или тебе тяжело после еды?

— Да нет, не тяжело. Подыграешь?

— Конечно.

Он потянулся за гитарой. Лена захлопала в ладоши.

— Ой, как здорово! Настоящий концерт. Что вы поёте? — обратилась она к Владе. — Классику или современное?

— Современное.

— Жаль, — Лена вздохнула. — Я классику люблю. Романсы старинные, например. Мачеха у меня певунья была. Все заслушивались.

— Могу и классику, — неожиданно сказала Влада.

Никита глянул на неё с изумлением. Влада и романсы? Это казалось ему несопоставимым.

— Дед, давай в ре миноре. Там сначала три блатных аккорда, а потом модуляция на тон. Осилишь?

— Постараюсь, — все ещё не оправившись от удивления, пробормотал Никита.

Он потихоньку заиграл, дожидаясь, когда Влада вступит. Она на мгновение замерла, потом тряхнула огненной гривой и вскинула голову.

— Мой костёр в тумане светит, искры гаснут на лету...

— Ночью нас никто не встретит... — подхватила Лена.

Ее голос чисто и точно вторил звонкому голосу Влады. Аж звон стоял от этой чистоты.

Никита продолжал играть, добавляя в переборы импровизацию.

— ...На прощанье шаль с каймою ты на мне узлом стяни. Как концы ее с тобою мы сходились в эти дни...

Никита больше не видел ни комнаты, ни грифа гитары — ничего вокруг. Перед глазами у него стояла Маша, хрупкая, как тростинка, на ее плечи была накинута ажурная шаль. Маша, Маша, что ж ты натворила? Почему не сказала, что ждёшь ребёнка? Как же так?

— ...Ночью нас никто не встретит, мы простимся на мосту, — пропела Влада и замолчала.

— Молодцы, девчонки! — Сашка звучно зааплодировал, а за ним и пацаны.

— Да я-то что, — скромно улыбнулась Лена. — Это вот девочке хлопайте. У неё голос просто фантастика. Владочка, вам надо учиться обязательно. Из вас выйдет отличная певица.

— Вот дед то же самое мне твердит, — с готовностью согласилась Влада и нахально покосилась на Никиту. У него даже челюсть свело от такой беспардонности.

— Да, — язвительно заметил он. — Только денег на учебу больше нет.

— Деньги — дело наживное, — миролюбиво заметила Лена. — Придут, когда будет нужно. А вы, Никита Кузьмич, счастливый человек. Так любите внучку свою, прямо весь светитесь, когда на неё смотрите.

— Кстати, о внучке, — встрял в разговор Сашка. — Никите надо съездить в Москву по делам. Он не хотел бы оставлять Владочку одну тут, в глуши. Лен, ты могла бы остаться здесь на пару дней? Ребят я отвезу домой, а вы здесь посидите вдвоём, поговорите о своём, о девичьем. Опять же попоете.

— Конечно, я останусь, с удовольствием. — Лена подсела поближе к Владе. — Мы отлично проведём время. Правда?

— П-правда, — выдавила Влада и вопросительно посмотрела на Никиту. — Ты ничего не говорил мне о том, что уезжаешь.

— Я просто не успел. Из пенсионного фонда звонили, что-то там в очередной раз индексируется, нужна моя подпись. Заодно хочу к Наде на могилу съездить. Два-три дня, не больше, и я вернусь.

Влада кивнула, но вид у неё был растерянный.

— Смотрите, Никита, как она привязана к вам, — сказала Лена. — Расстроилась, что вы расстаётесь. — Она положила руку Владе на плечо: — Не переживай, дедушка скоро вернётся. Обещаю, ты не будешь скучать. Я научу тебя печь мои фирменные пироги и плести очень красивые вазочки.

Влада снова кивнула, ничего не говоря.

— Вот что, — сказал Куролесов. — Мы завтра утром уедем, я должен ребят вернуть домой, Любе. А в понедельник мы с Леной приедем обратно. Она останется здесь, а Кузьмича я заберу с собой в Москву. — Он незаметно подмигнул Никите и тихонько шепнул ему в ухо: — Я уже посмотрел, до М. примерно 800 километров. За день доберёмся.

Тот кивнул в ответ.

После обеда сначала немного отдохнули, затем отправились на речку. Пацаны визжали и брызгались, Лена собирала какие-то травы и цветы. Куролесов сидел на пеньке в блаженном ничегонеделании. Только Никита и Влада чувствовали себя не в своей тарелке. Он видел, что девушка периодически кидает на него вопросительные взгляды. Возможно, идея остаться с Леной в этом доме ей совсем не нравилась. Он понял, что должен с ней объясниться.

— Послушай, — тихонько проговорил он, подойдя поближе, — мне действительно нужно уехать, это важно. Ты не должна обижаться.

Она пожала плечами:

— С чего ты взял, что я обижаюсь?

— Вид у тебя какой-то кислый...

— Глупости. Мне все равно, уедешь ты или нет. Я сама скоро уеду.

Никита почувствовал, как больно кольнуло сердце.

— Как уедешь? Куда?

— Не все ли тебе равно?

— Но в Москве тебе находиться нельзя, опасно.

— Значит, поеду не в Москву.

— А куда? В М.?

— Пока не решила, — уклончиво проговорила Влада и, сорвав травинку, зажала ее в своих белых зубах.

— Я бы на твоём месте не дурил и остался здесь, — стараясь говорить как можно спокойней, произнёс Никита. — Тут максимально безопасно и полностью комфортно.

— Я подумаю над твоими словами, — так же спокойно проговорила Влада, но почему-то в ее тоне Никите послышался сарказм.

Вечером, часов в восемь, Куролесову стала названивать Люба. Он краснел, бледнел, отходил в сторону, что-то втолковывал в трубку, отчаянно жестикулируя. Лена не вмешивалась, стоя поодаль, но лицо ее было напряжённым. Наконец Сашка спрятал телефон и подошёл к ожидающей его компании.

— Надо ехать. Люба рвёт и мечет.

— Но это же безумие, ехать на ночь глядя, — возмутился Никита. — Дорога часа на три, не меньше. Вы приедете глубоко за полночь. Не лучше переночевать здесь и спозаранку выехать? И потом, ты же баньку хотел.

— Перехотел, — зло отрезал Сашка. — Похоже, моей бывшей все равно, когда мы вернёмся, главное, показать характер и добиться, чтобы было, как она скажет.

— Тихо, Саш, не надо. Перестань. — Лена ласково обняла его за плечи. — Она мать, имеет право. Собирайся и поедем. Я сяду за руль, я не пила.

Никита заметил, что она выглядит усталой: лицо бледное, под глазами тени. Ещё бы — сначала столько ехать из Москвы, затем полдня стоять у плиты, потом кружить по лесу, а теперь еще и машину вести.

— Ладно, Саня, действительно собирайтесь и выезжайте, пока еще ночь не наступила. Я вас жду послезавтра, — сказал он Куролесову.

Тот кивнул и пошёл выгонять с участка машину.

Они уехали через полчаса. Никита и Влада вышли за калитку и долго глядели вслед удаляющемуся автомобилю.

— Хороший у тебя друг, — задумчиво проговорила Влада, теребя в руках рыжую прядь.

— Замечательный, — подтвердил Никита.

— И жена у него ничего тетка.

— Какая она тебе тетка? — Никита усмехнулся. — Женщина. Настоящая женщина, добрая,

246

умная, любящая. — Он поколебался и добавил: — Бабушка твоя такой же была. Эх, я, дурак, не ценил этого.

— Не знаю, как бабушка, а я никогда такой не буду. — Влада сверкнула глазами. — Не для меня это быть ласковой кошечкой и все время поддакивать мужику. Скучно это и тупо.

— Ты так говоришь, потому что ещё не любила по-настоящему, — возразил Никита.

— Можно подумать, ты любил. — Влада смешно наморщила нос.

— Любил! Ещё как.

— Кого? Жену свою? А чего ж тогда изменял ей направо и налево? Нет, это не любовь, и ты меня не переубедишь. — Она широко зевнула и прикрыла рот ладонью. — Давай спать, а то меня разморило совсем.

27.

Воскресенье они провели мирно и уютно. Вместе приготовили завтрак, съели его, прошлись по лесу с Шоколадом. Потом Никита Кузьмич мастерил качели, а Влада помогала ему. Но несмотря на кажущуюся идиллию, на душе у Никиты скребли кошки.

Он старался не думать о завтрашнем дне и о том, что придётся оставить Владу одну — когда он вернётся, то может не застать ее! В какой-то момент в голову закралась крамольная мысль — позвонить Сашке и сказать, что он никуда не поедет. Но Никита усилием воли прогнал ее.

Вечером Куролесов прислал сообщение: «Ну что, старик, готов? Жди нас завтра рано утром». Никита в ответ написал: «Хорошо, жду». Он постарался, чтобы в доме все было в исправности и в полном порядке. Наносил воды в бочку, наколол дров, хотя на дворе стояла жара. Проверил ножки от табуретов и даже смазал дверные петли, чтобы не скрипели. Влада глядела на все его действия с нескрываемым недоумением.

— Дед, мне кажется, ты собрался уехать на полгода, не меньше.

— Ерунда. Вернусь на этой же неделе, — успокоил ее Никита. — Просто хочу, чтобы вам здесь было удобно.

— У тебя золотые руки, — проговорила Влада, и в голосе у неё чувствовалась теплота.

Никите захотелось прижать ее к себе и поцеловать. Он ни разу не целовал ее, с тех пор как погибла Надя. Она его да, а он — нет. Что-то внутри мешало ему сделать это. «Вот поэтому ты обязан узнать правду, — произнёс в его голове чей-то голос, удивительно похожий на куролесовский. — Чтобы не стояло между вами этого недоверия».

Вечером они славно почаёвничали и улеглись спать. Разбудил Никиту телефонный звонок. Он сел на постели, спросонья тараща глаза в экран. Три часа ночи. Вызов был от Сашки. Никита, боясь разбудить Владу, схватил телефон и выскочил на улицу.

— Да, Саш, слушаю. Вы что, уже выехали?

— Беда, Кузьмич. — Голос Куролесова дрожал и вибрировал. — Ленку на «Скорой» забрали!

— Как на «Скорой»? — растерялся Никита. — Куда?

— Куда-куда, в больницу, конечно.

— А что с ней?

— Выкидыш начинается. — Сашка на том конце то ли всхлипнул, то ли всхрюкнул.

— Выкидыш? — не поверил Никита. — Она что, беременна?

— Прикинь, да! Ничего не сказала мне. Весь день с самого утра плохо себя чувствовала и ни гугу. Ну, характер!

Никита вспомнил Ленину бледность, отсутствие аппетита и все понял.

— Как она себя чувствует? — спросил он не к месту.

— Плохо, кровотечение у неё. Врач сказал: шанс есть, но маленький.

— Шанс на что?

— Не тупи, Кузьмич, — рассердился Сашка. — На то, чтобы сохранить ребёнка. Ей сейчас капельницы всякие делают, уколы. Я тут в отделении сижу, внизу. Ты, брат, прости, не приедем мы. Во всяком случае, не сегодня.

— Да о чем ты! — взволнованно произнёс Никита. — Занимайтесь своими проблемами, спасайте ребёночка. Дай бог, все образуется.

— Я тоже надеюсь на это. — Сашка торопливо попрощался и отключился.

Никита сел на крыльцо, подставив лицо ночной прохладе. Кажется, придётся ехать одному. Ждать, пока Куролесов разрешит свои семейные вопросы, глупо. У него сейчас все только начинается, а впереди предстоит съесть ещё пуд соли.

Позади скрипнула дверь. На крыльцо вышла Влада в ночной рубашке.

— Дед, ты чего не спишь? — Она села рядом.

— Лена в положении, оказывается. Чуть не потеряла ребёнка. Ее в больницу забрали. Кто бы мог подумать!

— О чем? Что она беременная? — Влада пренебрежительно хмыкнула. — Это и ежу было ясно.

— Какому ежу? Ты о чем?

— Я о Лене вашей. У неё токсикоз, по ходу. Она вчера всю дорогу блевала. Ты что, не видел?

— Нет.

— А Куролесов не сказал тебе?

— Он сам не знал.

— Да он что, слепой? — разозлилась Влада. — Вы оба хороши! А ещё мне лекции о любви читаешь.

Никита молчал, игнорируя ее замечания. Она постепенно смягчилась.

— Так ты теперь не поедешь никуда?

— Поеду. Тебя вот только как оставить?

— Да не дрейфь, останусь я одна. Никуда не денусь, обещаю. Шоколад меня будет охранять.

— Только не забывай кормить его. — Никита осторожно коснулся ее волос. Она не отстранилась, продолжала сидеть рядом, и ее глаза были совсем близко. — Я буду скучать, — тихо проговорил он.

— Я тоже.

В эту минуту он готов был послать все к черту и остаться. Пусть она ест любой рукой, да хоть ногой! Пусть не помнит своё же сочинение. Пусть говорит и делает что хочет. Она не может желать ему зла, да и в принципе творить зло!

У неё в кармане звякнул телефон — эсэмэска. Никита опомнился и взял себя в руки.

— Пожалуй, я поеду прямо сейчас. Ты теперь хозяйственная, должна со всем справиться. Здесь спокойно, обижать тебя никто не будет.

— Да я сама хоть кого обижу, — усмехнулась Влада.

Никита тоже усмехнулся.

— Охотно верю. Ну, бывай.

Он резко поднялся, и, больше не касаясь ее, пошёл в дом собираться. Потихоньку заглянул в ванную, взял из стакана Владину зубную щётку, положил в заранее приготовленный бумажный конверт и сунул в сумку. Через полчаса автомобиль уже мчал его в М. Навигатор показывал одиннадцать часов пути. Перед тем как выехать на трассу, Никита позвонил Вере и сказал, что уезжает на неделю, чтобы она понапрасну не приходила. Та огорчилась, но пообещала ждать с нетерпением.

28.

Никита гнал машину без отдыха. Есть ему не хотелось, он лишь купил на заправке бутылку воды и пару спелых персиков. Оттуда же он позвонил Владе. Та отозвалась сразу же.

— Как ты? — спросил Никита.

— Я нормально. А ты уже в Москве?

— Почти, — соврал он.

— Связь отвратительная. Я тебя едва слышу.

— Это, наверное, у вас там плохо ловит.

— Вроде раньше нормально ловило, — сказала Влада, и в тоне ее Никита расслышал подозрение.

— Ладно, давай, а то у меня ещё куча дел. Я попозже позвоню.

— Окей, — согласилась она.

Никита поехал дальше. Он не чувствовал усталости, сказывался колоссальный водительский опыт — он с юности ездил за рулем на дальние расстояния. Сердце тоже вело себя прилично, не болело, не кололо. Около десяти утра он въехал в крупный посёлок городского типа. Отыскал по навигатору лабораторию, отдал конверт с зубной щёткой, оплатил анализ. Заспанная женщина, отчаянно зевая, проговорила:

— Результат через семь-девять дней.

Никита кивнул и вышел. Он был уверен, что к вечеру будет у цели, однако все же не рассчитал время.

Ночь застала его далеко от М. Ехать в темноте Никита не рискнул, остановился в крошечном мотельчике у самой дороги. Там было всего четыре номера. Никита принял душ, выпил чаю и с наслаждением пристроил уставшее тело на узкой, но вполне удобной кровати. Он надеялся немного поспать и с рассветом продолжить путь, но почему-то ему не спалось. Пришла эсэмэска от Сашки: «Беременность сохранили, Ленка пока в больнице. Как ты?» Никита решил: не стоит докладывать Куролесову о том, что он укатил на машине в М. Тот будет дергаться, волноваться, чего доброго, ещё Ленке пожалуется, а той сейчас нервничать никак нельзя. «Я в порядке, — написал он Сашке, — поужинали с Владой, ложимся спать». — «Как она?» — тут же поинтересовался Куролесов. «Нормально. Пока все хорошо», — ответил Никита. «Ну и ладно, — написал тот. — Разберусь с Ленкой и съезжу с тобой в М.». — «Спасибо», — набрал Никита, отправил эсэмэску и положил телефон на тумбочку.

За окном гудела трасса. Сон по-прежнему не шёл, и Никита попытался составить план действий по приезде в М. Надо отыскать дом, в котором жила Маша. Неподалёку от неё располагался старый каменный фонтан — круглый, как блюдце, а в середине два лебедя. Полуразрушенный — у одного лебедя не было крыла, у другого клюва и глаза, — но фонтан Никите нравился, что-то в нем было притягательное. Маша рассказывала, что он очень старый, ровесник города. По нему и нужно ориентироваться...

Никита не заметил, как уснул. Во сне ему виделся фонтан, новенький, отреставрированный, из него били сильные прозрачные струи. Хотелось напиться из него, и Никита подошёл ближе, зачерпнул ладонью воду. Отчего-то на вкус она была горькой, он поморщился и сплюнул. Тут же струи сделались тоньше, затем ещё и совсем пропали. Никита увидел Владу. Она стояла по ту сторону фонтана и улыбалась ему, на щеках играли ямочки.

— Ты почему здесь? — спросила Влада. — Ты ведь должен быть в Москве. Обманул меня?

— Кто бы говорил, — смущенно пробормотал Никита. — Ты сама обманщица хоть куда.

— Я знаю, зачем ты сюда поехал: хочешь узнать, кто я, не веришь мне. Стыдно, дед! Я думала, ты меня любишь. — Улыбка сошла с ее лица, оно стало серьезным и грустным.

— Я люблю тебя, очень. Ты для меня ближе всех на свете. Но я не могу так больше.

— Лучше бы ты не делал этого, — сказала Влада и махнула рукой.

Струи снова взмыли вверх.

— Чего «этого»? — не понял Никита.

Но Влада уже уходила от него по узкой асфальтовой дорожке, не оборачиваясь. Никита хотел крикнуть ей вслед и проснулся.

Во рту у него был привкус горечи, будто он наяву пил из фонтана скверную воду. Сердце тревожно стучало. Что-то часто он стал видеть сны! И они сбываются. Раньше такого никогда не было. Никита всю жизнь спал без сновидений, крепко, вставал с петухами, бодрый и отдохнувший, и посмеивался над Надеждой Сергеевной, которая свято верила, что с четверга на пятницу снятся вещие сны, а чтобы дурной сон не исполнился, проснувшись, надо целый час ни с кем не разговаривать, да ещё и трижды плюнуть через левое плечо.

Никита быстро встал, оделся, выпил в буфете кофе и помчался дальше.

29.

«Жара. Лето в самом разгаре. Уже целую неделю стоит великолепная погода, на небе ни облачка, солнце жарит вовсю. В такой зной хорошо было бы искупаться в реке: пробежаться босиком по траве и нырнуть в прохладную воду. Надо же! Я до сих пор помню это ощущение: мягкая, шелковистая трава под ногами. Столько лет прошло, целая жизнь — а я помню, как упоительно наступать голыми пятками на мелкий, влажный песок на дне речки. Прибрежные камыши щекочут коленки, вокруг летят прозрачные брызги...

Галка и Алиса сейчас, наверное, вовсю купаются и загорают. Галка в деревне у бабушки, Алису отправили к родственникам. Я скучаю и вяжу смешного синего слоника. Почему синего? Осталось немного синей шерсти от шарфа. Для варежек не хватит, а для слона в самый раз. Я сделаю ему глазки из пуговиц и подарю Алисе. Галке я уже дарила шерстяную игрушку — медведя, а Алисе ещё нет. Пусть будет слоник — на счастье.

Спицы мелькают, клубок уменьшается, я мурлычу какую-то песенку. На душе у меня отчего-то хорошо и спокойно, как не было давно. За окном Тузик отчаянно лает на кошку, баба Нина с бабой Зиной сидят на лавочке и обсуждают, как лучше варить сливовое варенье. Они каждое лето это обсуждают, спорят и даже ссорятся. А у синего слоника уже готов хобот и смешные, висячие уши.

Я откладываю спицы и любуюсь своей работой. Алиса будет довольна. Только бы они с Галкой поскорее вернулись! И тогда, может быть, мы все вместе поедем в парк. Будем сидеть на скамейке и есть мороженое... Раз-два, раз-два, лицевая, изнаночная...»

30.

Никита въехал в М. к обеду. Он смотрел в окно на старенькие, ветхие домишки, и его атаковали воспоминания. Сколько же лет прошло? Без малого сорок! А кажется, здесь ничего не изменилось.

Все те же зелёные скверики, узкие улочки, облупленные фасады. Время будто остановилось, ревностно сохраняя поблекшие чувства и эмоции, высвечивая их до невыносимой яркости. Вот тут они с Машей ехали в такси, здесь шли, обнявшись, в день последнего свидания. А вон и гостиничный ресторан, в котором он впервые увидел ее.

Никита, волнуясь, прибавил газу, свернул в переулок и тотчас увидел фонтан. За это время его подреставрировали, чашу заштукатурили и покрасили, лебедям добавили недостающие детали, но он по-прежнему не работал, хотя был самый что ни на есть разгар сезона. Никита сбавил скорость и медленно проехал мимо, невольно вглядываясь, не мелькнёт ли по ту сторону чаши Влада, и одновременно злясь на самого себя: совсем с ума спятил, готов уже поверить в колдовство и потустороннюю силу.

Он объехал фонтан, завернул во двор и остановился перед почерневшим трёхэтажным домом. Кажется, этот. Во дворе играли дети, с визгом носясь друг за дружкой. Припарковав машину, Никита подошёл к подъезду и долго смотрел на окна первого этажа, занавешенные дешёвым сереньким тюлем. Кто теперь живет здесь? Знают ли эти люди Машу, ее дочь и внучку? Смогут ли хоть немного помочь ему в его мытарствах? Никита вздохнул.

— Мужчина, вы кого-то ищете? — раздался позади него скрипучий голос.

Он обернулся и увидел двух старушек, чинно сидящих на покосившейся лавочке. Одна из них, худенькая, в белом платочке, смотрела на него выцветшими голубыми глазами.

— Кого вам надо? — повторила она и строго поджала губы.

«Возможно, это тот, кто мне нужен», — решил Никита и произнёс:

— Скажите, вы знали Марию Свиристелкину?

— Машу? Почему знала? — блекло-голубые глаза старушки удивлённо округлились. — Вы так говорите, будто она померла.

Теперь настал черёд Никиты удивляться.

— Так она... А разве нет?

— Типун вам на язык! Конечно, нет. Жива Маша. Мается, бедолага, но жива, помирать не собирается. Эй, куда вы?

Никита уже не слушал ее. Он рванул дверь подъезда и взбежал по ступенькам на лестничную площадку. В висках у него гулко стучала кровь. Вот и звонок. Все та же старая, потёртая кнопка. Он дрожащей рукой надавил на неё. Минуту было тихо, затем знакомый и родной голос произнёс:

— Кто там?

— Откройте, — хрипло проговорил Никита. — Это свои.

— Свои? — В голосе послышалось недоумение. — Кто это свои? Погодите, я сейчас.

За дверью что-то задвигалось, заскрипело, лязгнул замок. Перед Никитой сидела в инвалидной коляске женщина лет шестидесяти с небольшим. Коротко стриженные волосы, худое, изжелта-бледное лицо, сухие лиловые губы. И глаза! Глаза знакомого дымчатого цвета. Они словно жили отдельно от лица, от всего ее облика, и в них читалась целая гамма чувств: от ужаса и боли до изумления и радости.

— Маша? — выдохнул Никита и невольно шагнул назад.

— О господи, неужели ты? — Ее губы дрогнули, на впалых щеках заходили желваки. — Никита, это ты?

— Я. Можно войти?

— Входи. — Она отъехала в сторону.

Он зашёл в тесный коридорчик. Все вокруг было до дрожи узнаваемо: вот полочка для мелочей, вешалка с четырьмя железными крючками, тумбочка для обуви, картина над ней — дешевенькая репродукция «Трёх богатырей» Васнецова. Никита почувствовал себя словно в музее, где трепетно сохраняются и пестуются предметы старины. Маша молча смотрела на него, ее пальцы нервно сжимали подлокотники коляски.

— Как ты здесь очутился? Это какая-то фантастика.

— Давай уйдём из прихожей, — попросил он.

Она усмехнулась.

— Уйти здесь можешь только ты. Я могу лишь уехать.

— Прости. — Никита кивнул и повторил: — Прости, я не очень владею собой. Честно говоря, я в шоке.

— Ты в шоке? — Она пожала плечами. — Что тогда говорить про меня? Ладно, поехали в кухню. Чаю хочешь?

— Чаю? Ну давай чай, хотя лучше бы что-то покрепче в этой ситуации.

Она уже развернула коляску и со скрипом ехала на кухню. Он зашёл следом, с жадностью оглядываясь по сторонам. Здесь все тоже было узнаваемым: круглый столик, покрытый клеенкой, деревянные полочки над раковиной, старая, но чистенькая газовая плита.

— Садись, — сказала Маша.

— Давай я все сделаю, — предложил Никита.

— Нет, ты гость. Я сама. Сиди.

Он послушно уселся на табурет. Глядя на то, как она ставит чайник, достаёт чашки, раскладывает пакетики с заваркой, Никита думал, что этого не может быть. Худая, как скелет, высохшая женщина в инвалидном кресле не может быть Машей! Его Машей, милой девочкой с дымчатыми глазами. Что с ней случилось?

— Что случилось? Почему ты... почему ты не ходишь?

Она обернулась, бросив на него мимолётный взгляд.

— ДТП. На меня наехал грузовик. Перелом позвоночника в двух местах.

— Господи, ужас! Давно это стряслось?

— Очень давно. Тридцать девять лет назад.

Никита дёрнулся. Хлипкая ножка табурета подкосилась, и он едва не упал.

— Ты хочешь сказать... это случилось сразу после того, как...

— Не сразу. — Маша разлила кипяток по чашкам. — Через восемь месяцев после твоего отъезда.

— Почему ты мне не сообщила?

— А что бы это изменило? — Она вздохнула и поставила перед ним чашку с чаем. — Ты был женат. Я оказалась не нужна тебе, пока была здорова. Неужели понадобилась бы инвалидом? Да и... состояние у меня было не то, чтобы искать тебя. Я ведь... потеряла ребёнка. — Она опустила глаза.

— Как потеряла?? Нет! Не может быть! Это... это был мой ребёнок?

— Да. Девочка. Она погибла в тот день.

— Маша! Милая! — Никита вскочил. — Я... я ничего не понимаю. Девочка Аня! Ты же родила ее.

— О чем ты? — Ее плечи дернулись. — Я действительно хотела назвать ее Аней, но не успела. Она умерла, Никита. Наша с тобой дочь умерла, не родившись. А я стала инвалидом.

— Но кто же тогда Влада??

— Влада? Какая ещё Влада? — с недоумением переспросила Маша. — Понятия не имею, о ком ты?

— Влада, наша внучка! Рыжая девушка с ангельским голосом. — Никита почти плакал.

В его ушах звучал голос Петровской: «Москва наполнена аферистами. Ваша Влада одна из них».

— Ты нездоров, Никита. Что ты несёшь? Какая внучка? — Маша наконец подняла лицо, и в ее глазах стояли слёзы. — Посмотри на меня, я калека. Почти сорок лет в коляске. Месяцами не выхожу на улицу. О какой внучке ты говоришь?

— Послушай, Маша. — Никите наконец удалось взять себя в руки. — Мы должны объясниться. Я не просто так сюда приехал. Ты должна помочь мне.

— Помочь в чем? — бесцветным голосом спросила она.

— Понять, кто такая Влада, откуда она знает про наши с тобой отношения. А она знает!! Все знает! Как такое возможно??

— Я не в курсе. — Маша отхлебнула из чашки. — Я даже не понимаю, о чем идёт речь. Почему ты решил, что у нас есть внучка?

— Хорошо, я расскажу тебе с самого начала. Полгода назад к нам в дом позвонила некая девушка. Представилась Владой, показала свидетельство о рождении. В нем стояла твоя фамилия. Она сказала, что ты — ее бабушка и ты… умерла два месяца назад.

— Хорошо, если бы это было правдой, — грустно произнесла Маша. Ее сухие губы тронула улыбка.

— Перестань, — резко произнёс Никита. — Не смей так говорить.

— А ты мне рот не затыкай. Указывай жене своей.

— Она умерла.

Воцарилась напряженная пауза.

— Твоя жена умерла? — спросила Маша тихо.

— Да. Она упала со стремянки и разбилась насмерть.

— Прости, я не знала. Соболезную.

— Спасибо. Можно я продолжу?

— Конечно, я внимательно слушаю.

— Я хотел прогнать эту девчонку, но что-то внутри удержало меня от этого. Может быть, то, что она назвалась твоей внучкой. Я поселил ее у себя в квартире. Надя была не против. Я дал ей денег на обучение — она отлично пела и хотела стать певицей. Я полюбил ее, считал своей внучкой. Я гордился ею! А потом она исчезла. Просто растворилась, пропала. Выяснилось, что она обманывала меня, деньги взяла не на учёбу, а для каких-то своих целей. И... в тот день, когда Надя разбилась... она... она была рядом с ней. Я вышел, а она была в квартире!!

Никита замолчал, сжимая руки под столом в кулаки.

— Ты говоришь ужасные вещи, — произнесла Маша. — Хочешь сказать, что эта... Влада... столкнула твою жену с лестницы?

Он молча кивнул.

— Что было дальше? — спросила она.

— Она исчезла. Ее нигде не могли найти. А потом она возникла снова: попросила помощи, сказала, что непричастна к гибели Нади, ей грозит опасность. Я увёз ее далеко от Москвы, жил с ней в загородном доме, простил ей все. Но что-то пошло не так. С недавнего времени я понял, что она продолжает обманывать меня. Это было выше моих сил. Я решил приехать сюда и расспросить соседей, может быть, они знают Владу, объяснят мне ее странности. — Никита поглядел на Машу с грустью. — Вот, собственно, и все.

Она тоже смотрела на него, пристально, внимательно, словно собиралась рисовать с него портрет.

— Я не знаю, что тебе сказать, Ник.

Он вздрогнул. «Ник»! Именно так она называла его в ту сумасшедшую неделю. Тогда ему это очень нравилось.

— Я не знаю, что сказать, — повторила она чуть громче. — Я правда не знаю никакую Владу. Я вообще мало общаюсь с людьми. В основном занимаюсь вязанием. Иногда, очень редко, даю частные уроки фортепиано. Впрочем, в последнее время я это дело забросила.

— Но как же так? — не поверил Никита. — Ведь это мистика какая-то. Откуда неизвестная девчонка может знать наши имена, фамилии, подробности наших отношений? Вспомни, может, среди твоих учеников…

Она покачала головой.

— Нет, среди них не было такой. Сколько ей лет?

— Примерно восемнадцать-девятнадцать. Высокая, рыжеволосая, кудрявая. Одинаково владеет обеими руками, в зависимости от настроения.

— Даже предположений нет. Понятия не имею, откуда она могла узнать о нас.

Никита кивнул и уткнулся в чашку. Он пытался понять, врет ли сейчас Маша или нет. Наверняка она знает Владу. Но почему упорно не желает сказать правду?

— Ник.

— Да?

— Посмотри на меня.

Он поднял глаза.

— Какой ты стал — злой, седой. Ты постарел, Ник. Ты несчастлив. Раньше ты был другим. — Она протянула худую руку и коснулась его волос. — Если б ты знал, как я ждала тебя тогда! Все думала: вот распахнется дверь, ты войдёшь, и мы будем вместе — я, ты, и наша девочка. Ведь ты же любил меня.

Ее пальцы ерошили его волосы. Сердце Никиты начало плавиться и растекаться горячей лавой по груди. Он встал, подхватил ее невесомое тельце, вынул из коляски и посадил к себе на колени.

— Моя бедная девочка...

— Я знаю, о чем ты думаешь сейчас, — сказала она, прижимаясь виском к его щеке. — Я обманываю тебя, а сама каким-то образом подослала к тебе эту Владу, чтобы... разрушить твою семью и вернуть тебя к себе. Но это не так! Я и не думала так поступать.

— Я верю тебе. — Никита бережно баюкал ее на коленях, точно ребёнка.

Он испытывал щемящую нежность и одновременно жгучее чувство вины. Из-за него она калека, он походя разрушил ее жизнь, оставив одну в этой дыре, безоружную перед жестокой судьбой, одинокую и уязвимую...

Он не знал, сколько они сидели так, молча, тесно прильнув друг к дружке, глотая непролитые слёзы. Время остановилось, и минуты превратились в вечность. Наконец Маша приподняла голову с Никитиного плеча.

— Ник, уже ночь.

Он с удивлением увидел, что в комнате темно. В темноте ее глаза казались огромными и бездонными, излучающими тихий свет.

— Ты устала? — спросил он ее.

— Нет.

Он услышал по голосу, что она улыбается.

— Отчего мне уставать? Я счастлива. Это ведь невозможно — то, что происходит. Так не бывает.

— Бывает. — Никита погладил ее по щеке. Она была прохладной и бархатистой. — Я — вот он, рядом. И я больше не брошу тебя. Никогда.

— Ах, Ник, что за ерунду ты говоришь. Неужели ты не понимаешь? Поздно, слишком поздно. Ничего больше не осталось. Только бесконечные клубки шерсти.

— Перестань. — Он нежно коснулся губами ее лба. — Все осталось. Ты нужна мне любая. Я ведь... помнил о тебе все это время. Скучал.

— Звучит как издевательство.

— Знаю. — Никита вздохнул. — Ну, прости. Я постараюсь загладить свою вину, буду самым нежным и любящим. Честно.

Она засмеялась, легко и звонко, точно птичка защебетала.

— Ладно, Ник, не подлизывайся. Я верю тебе. Вряд ли ты уедешь от меня в этот раз. Ты старик. Седой старик. Твоё место рядом со мной, сколько нам отпущено.

— Будем надеяться, что достаточно, — усмехнулся Никита. — Я думаю, нужно поспать хоть немного. Я проехал на машине восемьсот километров.

— Вот тут я тебя узнаю, — восхищенно проговорила Маша. — Герой.

Он посадил ее на стул и расстелил старенький, скрипучий диван. За окнами уже начало светать, когда они уснули, голова к голове, рука в руке. И когда к ним пришли первые сны, на березе красиво и печально запел соловей.

31.

«Это было как чудо, волшебный сон. Обычный, жаркий летний день, и вдруг звонок в дверь. Я удивилась. Я никого не ждала — Галка и Алиса в отъезде, продукты приносили вчера. Я крикнула:

— Кто там?

И услышала в ответ:

— Свои.

Этот голос! Я узнала бы его из тысячи других. Я слишком много раз представляла себе, как это происходит. Так много, что однажды что-то внутри меня щелкнуло, сломалось, и я перестала ждать. Этот звонок застал меня врасплох, я почувствовала ужас и панику. Он стоял за дверью. ОН! Я точно знала это, я слышала его голос. Он требовал, чтобы я открыла. А я ехала в своей коляске в коридор и думала о том, что вот сейчас он войдёт и увидит, кем я стала. Мне было так страшно, что поджилки тряслись в буквальном смысле этого слова. И все же я открыла дверь.

Сначала он отшатнулся от меня, потом взял себя в руки и вошёл. Он тоже изменился: волосы белее снега, и осанка уже совсем не безупречна, а в глазах горечь и тоска. Он будто бы стал меньше ростом, уже в плечах. Все это я увидела разом — мое зрение жадно впитало в себя его новый облик. Он тоже смотрел на меня, и во взгляде были боль и растерянность. Прошло минут пять, пока мы оба опомнились. Он рассказал, зачем приехал. Это невероятно — кто-то, какая-то умелая актриса, представилась нашей внучкой, проникла к нему в дом, украла деньги. Он верил ей, более того, умудрился полюбить ее. Больше полугода он считал, что у нас был общий ребёнок, дочь.

И вот теперь он сидел у меня в кухне, пил чай и растерянно пытался понять — что же такое с ним произошло? Рыжая девушка, поющая джаз, назвавшаяся редким именем Влада. Я понятия не имела, кто она такая и откуда могла узнать про нас. Я никому никогда не рассказывала историю своей трагической любви, даже психологу Лизе, и уж точно не называла имён и фамилий. Откуда же могла взяться эта самая Влада?

…Все эти мысли бродят у меня в голове, как стадо непослушных баранов. За окном знойное июльское утро. Я только что вынырнула из дремы, лежу и смотрю на лицо Ника. Он спит. Мне хочется поцеловать его, но я боюсь разбудить. Пусть спит, он устал. Не многие в его возрасте решатся двое суток гнать машину из Москвы в захолустный городишко. Я знаю лишь одно — я больше не отпущу его никогда. Спасибо чуду по имени Влада, которое нас свело».

32.

Никита проснулся оттого, что яркие солнечные лучи нещадно били в глаза. Он не сразу вспомнил, где находится, а вспомнив, поспешно сел на постели и огляделся. Маши рядом не было, но из кухни донесся тихий звон посуды. Никита с облегчением выдохнул и босиком вышел в коридор.

Дверь в кухню была открыта, Маша в коляске хлопотала у плиты. При виде Никиты она улыбнулась.

— Проснулся? Наконец-то. Уже полдень. Я оладьи испекла. Садись завтракать.

— Сейчас. — Никита скрылся в ванной, пустил воду из чахлого, проржавевшего крана и уставился на себя в потемневшее от времени, круглое зеркало над раковиной.

Ну и видок! Волосы дыбом, под глазами чёрные тени, взгляд счастливо-безумный. Он ополоснул лицо холодной водой, потом залез под такой же холодный душ и долго стоял, пытаясь привести в порядок мысли и чувства. В дверь постучали.

— Ник, ты живой там? Все в порядке?

— Да, все отлично. — Никита выключил воду, растерся полосатым полотенцем, которое висело на крючке, оделся и вышел из ванной.

— Садись, — велела Маша.

Он наблюдал за тем, как ловко она ездит по крохотному пространству, открывая и закрывая ящички, доставая тарелки, вилки, ножи.

— Кушай.

Никита обмакнул оладушек в сметану и отправил в рот.

— Вкусно!

Как, оказывается, приятно, когда о тебе заботятся, кормят тебя, глядя в рот! Надя именно так и делала, но Никиту это лишь раздражало, а сейчас он млел от удовольствия.

— Ещё хочешь? — спросила Маша.

— Хочу!

Она положила ему целую горку оладий и Никита с аппетитом уничтожил их все.

— Что будем делать? — Маша, скрестив руки на груди, смотрела на него внимательно, улыбаясь краешками губ.

— Ну, для начала я намерен починить здесь все, что можно. А то все разваливается на части.

— Это верно. Мне было не до ремонта. И вообще не до хозяйства.

— Я вовсе не в упрёк тебе. Просто руки у меня на месте, и это ничего не стоит, только в удовольствие. У тебя есть какие-нибудь инструменты, отвертка, например, плоскогубцы? Молоток, на худой конец.

— Где-то были. Я сейчас. — Она поехала в коридор.

Никита слышал, как она роется в стенном шкафу. Что-то с грохотом упало, и он кинулся в прихожую.

— Пусти, я сам.

Он отодвинул коляску, залез на полку и вынул оттуда ящик с инструментами.

— Отлично, то, что нужно.

Он чинил кран, затем укреплял ножки у табуреток, потом заново прибивал полочки, и на душе у него было так спокойно и хорошо, как не бывало давным-давно. Даже мысли о Владе отошли на задний план, но все же он позвонил ей. Она долго не отвечала, а потом отозвалась наконец:

— Да, дед, привет!

«Никакой я тебе не дед», — хотел сказать Никита, но промолчал.

— Как твои успехи? — спросила Влада. — Ездил в пенсионный фонд?

— Пока не успел, кое-что нужно было сделать. Ты как? Справляешься? Как Шоколад?

— Что ему сделается? Жрет и бегает по двору как полоумный, гоняет ворон. Ты когда вернёшься?

— Скоро. А что?

— Да ничего, просто я соскучилась.

У Никиты сдавило грудь. Для чего этот спектакль? Зачем она все время врет? Что ей нужно от него?

— Я тоже соскучился, — сказал он.

— А по голосу не похоже. Он какой-то у тебя... — Влада не договорила.

— Нормальный голос. Устал немного, вот и все.

— Может, мне надо было поехать с тобой? Вместе мы бы справились быстрее.

— Не забывай, ты в ссылке. — Никита усмехнулся.

— Да ладно, мне эта ссылка порядком надоела. Вернёшься, поедем отсюда в Москву. Лене с твоим Куролесовым дом сейчас нужней, чем нам. Будут там ждать своё потомство.

— Потом решим, — сказал Никита и отключился.

Маша слушала их разговор, сидя рядом в коляске.

— Что ты намерен делать?

Никита пожал плечами.

— Не знаю. Я все-таки надеялся, что она моя внучка. А теперь… — Он грустно развёл руками.

— Ладно, не переживай, мы что-нибудь придумаем. А пока… пока давай пойдём, погуляем!

— С удовольствием.

Никита помог Маше сменить халатик на спортивный костюм и вывез коляску во двор. Вчерашние бабушки снова сидели на той же лавке. Увидев Никиту, они громко зашушукались.

— Мария, кто это? — спросила бдительная бабка в платочке.

— Это мой друг, — нисколько не смутившись, ответила Маша. — Он приехал из Москвы.

— А что ж твой друг покойницей тебя считал? — тут же съехидничала старушенция. — Спрашивает вчера, знала ли я тебя, будто ты уже на том свете.

— Его дезинформировали, — так же спокойно и невозмутимо проговорила Маша.

— Ну, друг так друг. — Бабка было успокоилась, но тут же вновь вскинула на Никиту свои цепкие глаза: — Что ж ты так поздно объявился, друг? Машка вон сохнет тут одна-одинешенька, ухаживать за ней некому. Тут, чай, не Москва, соцработника не дождёшься, спасибо, что продукты приносят ей. А чтоб гулять — так это в неделю раз, а то и реже.

— А вы что же не поможете ей? — в свою очередь, наехал на бабку Никита. — Соседи ведь.

— Издеваешься, любезный? — взвилась старуха. — Нас тут, почитай, десять квартир всего. Мне под девяносто, ей вот, — она ткнула пальцем в подружку, — под восемьдесят. И почти все такие, молодежь давно разъехалась. Как нам коляску таскать по ступенькам?

— Да хватит тебе, Зин, — осадила вредную бабуленцию другая старушка. — Что ты, ей-богу, привязалась, как банный лист? Разберутся сами, не маленькие.

— Ну, пускай разбираются, — махнула рукой бабка.

— Куда поедем? — спросил Никита Машу.

— Поехали в парк, я там уже год не была. В прошлом году Галка меня возила, было здорово.

— Галка? Это кто?

— Соседская девочка. Ходит ко мне, добрая душа. Гостинцы носит, на прогулку вывозит.

— Ясно. Ну, в парк так в парк, — согласился Никита. — Только знаешь, коляска нам ни к чему.

— Как это? — Маша поглядела на него с недоумением.

— А вот так. — Он подвез ее к машине, подхватил на руки и посадил в салон.

Бабки сзади дружно ахнули. «Так-то вам, старые», — торжествуя, подумал Никита. Он завёл автомобиль и повёз Машу по улицам. Они проехали фонтан, небольшой скверик, рынок и остановились у входа в парк.

— А дальше как? — расстроилась Маша. — На машине нельзя, только пешком. Коляска-то во дворе осталась.

— Можно на машине. — Никита подъехал к воротам.

Тут же навстречу из будки вышел служитель.

— Проезд запрещён.

Никита протянул ему сторублевку.

— Пожалуйста, друг! У меня женщина не может ходить. Мы недалеко, до ближайшей скамейки.

— Не положено, — менее уверенно произнёс охранник и покосился на купюру в руках Никиты.

— Очень просим, — повторил тот.

— Ну ладно. — Мужик взял бумажку и махнул рукой. — Проезжайте.

Никита въехал на главную аллею. Вокруг шумела зелёная листва, было прохладно и приятно. Он проехал немного вперёд и остановился у симпатичной лавочки. Вынес Машу из машины, усадил.

— Хочешь, съезжу за мороженным? У входа продают, я сразу не додумался.

— Не надо, мне и так хорошо.

Она положила голову ему на плечо. Набежал лёгкий ветерок, и ее волосы растрепались, закрывая лицо.

— Расскажи мне все, — попросил Никита.

— Что «все»?

— Все, с самого начала. Как это случилось, что было потом.

— Ты имеешь в виду, как меня сбила машина? — Она откинула со щеки короткую прядь.

— Да. Если это, конечно, не слишком тяжело для тебя.

— Тяжело. Но я попробую.

Она выпрямилась, взгляд ее устремился куда-то вдаль.

— Когда ты уехал, я была сама не своя. Жить не хотела. Все думала, таблеток наглотаюсь или спрыгну откуда-нибудь. Ну а потом... почувствовала, что я не одна. Был сильный токсикоз, меня все время рвало. Я больше не могла играть, уволилась из ресторана, перебивалась уроками. Кое-что я отложила на чёрный день, в общем, как-то существовать можно. С одной стороны, физически мне было очень плохо, с другой — стало легче морально. Я подумала, что появится частичка тебя, и эта мысль грела меня. Ещё я мечтала о том, что ты как-нибудь узнаешь о ребёнке и приедешь. Как? Об этом я не думала, просто фантазировала. Когда тебе всего двадцать, фантазировать легко и приятно.

Я носила нашу девочку. Тогда ещё УЗИ в нашем городке не делали, но я знала, что у нас будет дочка. Просто знала, и все. Время шло. Токсикоз постепенно кончился, а живот мой округлился. Соседки-старушки, которых ты сейчас видел, — они тогда были молодые, весёлые тетки, — первые заметили мое положение, потом и остальные. Начались расспросы, кто да что. Я всем говорила, что мой жених работает далеко отсюда и скоро приедет за мной. Зачем я врала, да ещё так примитивно и глупо? Сама не знаю. Мне хотелось, чтобы ты был моим женихом, приехал и повёл меня в ЗАГС. Я совсем завралась, и люди стали надо мной смеяться. Я шла по двору, и чувствовала спиной, как они тычут в меня пальцами. Увы, провинция — не столица, здесь все на виду, каждый со своей судьбой. Постепенно мне стало страшно. Я думала — что будет, когда я рожу? Ведь все увидят, что никакого жениха у меня нет, а я просто-напросто нагуляла ребёнка от командировочного. Если бы мама была жива, возможно, я чувствовала бы себя иначе — более защищенно. Но мама, как ты знаешь, умерла за год до того, как мы познакомились. Отца у меня никогда не было. Родственники жили далеко, за тысячи километров. Я была беззащитна перед злыми языками и насмешливыми взглядами.

Как-то, когда я шла в поликлинику, дорогу мне преградил сосед-алкаш. Его звали Серега. Он нещадно бил свою тихую, замученную жену, его сыновья ходили в обносках и ругались матом как извозчики. Я ненавидела этого Серегу и жалела его Катю, даже иногда поила ее чаем у себя в квартире. Я мечтала, чтобы его однажды забрали в тюрьму и долго оттуда не выпускали. Сейчас этот огромный, обрюзгший от водки мужик стоял прямо напротив меня, выкатив красные воспалённые глаза в кровавых прожилках.

— Шлюха, — выдохнул он мне в лицо перегаром. — Шалава. Жива б была твоя мамаша, она б сгорела со стыда.

— Не смейте трогать мою мать, — тихо сказала я.

— Что? — взревел Серега. — Она мне ещё указывать будет, что мне сметь, а что нет? Да я тебя... — Он занёс надо мной пудовый кулак.

Я отпрянула в сторону, беспомощно озираясь по сторонам, но во дворе никого не было. Мужик снова надвинулся на меня. Он был очень пьян, практически ничего не соображал. Я видела это по его глазам, сумасшедшим и мутным. Я кинулась бежать и была уверена, что ему не догнать меня. Максимум, что он мог, — сделать пару шагов на своих заплетающихся ногах. Я выбежала из двора и помчалась по тротуару вдоль шоссе. Бежать было тяжело — мешал живот. Я обернулась на бегу, и сердце мое ухнуло вниз: Серёга на всех парусах нёсся за мной, как будто сам дьявол ему помогал — он бежал так быстро, как даже я не могла. Он догонял меня! Я бросилась к какой-то тетке, шедшей мне навстречу.

— Пожалуйста, помогите! За мной гонится пьяный! Пожалуйста.

Но она отшатнулась от меня в сторону. Тогда я кинулась к другой прохожей — это была девушка, красиво одетая, накрашенная.

— Помогите, — молила я. — Вызовите милицию. Остановите его.

— Разбирайтесь сами со своими хахалями, — сказала красавица и зашла в магазин.

Серега был уже рядом, я слышала за спиной его шумное дыхание. Внезапно я увидела на той стороне дороги милицейский «уазик». Он стоял, припаркованный у тротуара, возле бочки с квасом. Молодой милиционер в фуражке протягивал продавщице деньги, а она наливала квас в большую кружку. «Вот кто меня спасёт», — мелькнуло у меня в голове, и я, не глядя по сторонам, бросилась через дорогу.

Послышался страшный визг, затем лязг и оглушительный крик. Это кричала продавщица кваса. Я успела увидеть ее лицо, белое, перекошенное ужасом, а дальше на меня налетело что-то огромное и чёрное. Мои ноги оторвались от земли, мне показалось, что я лечу по воздуху. Удар, и все исчезло, растворилось в чёрном дыму…

Я очнулась в больнице, долго вспоминала, кто я и что случилось. Мне рассказали, что я перебегала шоссе и попала под самосвал. Водитель пытался тормозить, но автомобиль был слишком тяжёлый.

Удар пришёлся в спину и в бок. Серегу в тот же день задержали и потом посадили на пять лет. А я осталась без ребёнка и без ног. От врачей я узнала, что это действительно была девочка. Совсем большая, готовая вот-вот родиться...

— Бедная моя, милая. — У Никиты захватило дух. — Как это можно было пережить?

— Никак. Я просто не жила, а существовала — год, другой. Затем стало немного легче. Я приноровилась к коляске, научилась передвигаться по квартире. Ко мне приходили из собеса, потом волонтеры — помогали убираться, носили еду. Потом я попросила их не приходить: мне не хотелось видеть их взгляды, полные жалости. Уж лучше я сама как-нибудь. — Маша решительно тряхнула челкой.

— Ты моя отважная, стойкая девочка, — прошептал Никита. — Если б я знал, если б только мог подумать...

— Не надо, не кори себя. — Она погладила его по голове. — Я сама во всем виновата. И в том, что полюбила несвободного человека, и в том, что не уберегла ребёнка, выбежав на автомобильную дорогу... Сама.

— А ведь я мог так и не найти тебя, — проговорил Никита. — Если бы не Влада...

— Да, я тоже думала об этом сегодня утром, когда ты ещё спал. Я думала, что кто-то послал нам эту твою рыжую обманщицу. Там, высоко... — Маша подняла глаза к небу.

— Из-за неё Надя погибла, — мрачно произнёс Никита.

— Так всегда, — тихо сказала Маша. — Что-то находишь, а что-то теряешь. Иначе не бывает.

— Это очень жестоко. Слишком высокая цена за то, что я тебя нашёл.

— Ты жалеешь? — Она взглянула на него в упор.

— Я... я хочу знать правду. Кто такая Влада? Зачем она приехала в Москву? Почему погибла Надя? Кто все это устроил? Ведь не там же, на небесах.

— Нет, конечно не там. Но... я даже не знаю, где искать концы.

— Кто мог знать о том, что у нас был роман? О том, что я в Москве? Мою фамилию, имя?

— Не знаю. Клянусь, я не знаю! — Маша молитвенно сложила руки на груди.

— Может быть... эти бабки на лавочке? Ты говорила им?

— Да что ты! Нет, конечно.

— А этот гад... Серега? Он не мог все это подстроить?

— Он умер в тюрьме во время второй ходки. Давно, десять лет назад.

Никита опустил голову.

— Глухо как в танке.

— Глухо, — подтвердила Маша. — Поехали домой?

— Поехали.

Он отнёс ее в машину, и они вернулись во двор. Коляска стояла на том же месте, где они ее оставили.

— Если б ты знал, как я ее ненавижу, — сказала Маша, садясь на потертое сиденье. — Хотя, наверное, наоборот, должна быть благодарна. Без неё я даже по квартире не смогла бы передвигаться.

— Погоди, мы тебя вылечим. Будешь ещё бегать. — Никита повёз ее в подъезд.

— Тетя Маша! — раздался за его спиной звонкий девчачий голосок.

— Галка! — Маша радостно всплеснула руками. — Приехала!

Никита остановился и обернулся. К ним через двор бежала загорелая курносая девочка лет тринадцати.

— Галочка! Как я рада тебя видеть. — Маша с улыбкой смотрела на курносую. — Пошли к нам чай пить?

— Идемте.

Девчонка распахнула перед Никитой дверь подъезда. Они вдвоём завезли коляску на площадку первого этажа. Оказавшись в квартире, Маша взглянула на себя в зеркало.

— Мне кажется, я немного загорела. Во всяком случае, лицо не такое бледное. Правда, Гал?

— Правда, — с готовностью подтвердила та.

— Кстати, а как там Алиса? Вы с ней созванивались?

— Она писала мне, что приедет сегодня.

— Как здорово! У меня для неё подарок. Вот смотри. — Маша съездила в комнату и вернулась с забавным синим вязаным слоником в руках. — Как тебе?

— Прикольно. — Галка поставила слоника на тумбочку и отправилась в кухню.

Никита вошел следом за ней. Маша в коридоре продолжала вертеться перед зеркалом, зачесывая волосы то так, то эдак. Никита сел за стол, наблюдая за тем, как Галка по-хозяйски орудует в кухне: ставит чайник, достаёт чашки, вазочку с пряниками. Молодец девчонка, видно, что настоящая помощница по хозяйству.

— Ты часто здесь бываешь? — спросил ее Никита, чтобы поддержать разговор.

— Часто. — Галка взглянула на него с любопытством. — А вы кто?

— Меня зовут Никита Кузьмич. Я друг тети Маши. Приехал из Москвы.

— Из Москвы? — Галка слишком сильно наклонила чайник, так, что кипяток полился на стол. — Черт, — расстроилась она. — Вот балда.

— Ничего страшного, — успокоил ее Никита. — Сейчас вытрем. Ты не обожглась?

— Нет. — Галка взяла полотенце и тщательно вытерла скатерть. Потом она разлила чай и села за стол.

Из коридора приехала на коляске Маша.

— Что это вы тут так тихо сидите? — Она поглядела на молчаливую Галку. — Давайте, я вас познакомлю.

— Мы уже познакомились, — сказал Никита. — Правда, Галя?

— Да, — односложно ответила та.

«Странная, однако, девчонка, — подумал Никита. — Хозяйственная, это верно. Но какая-то неприветливая».

Маша тем временем продолжала пребывать в приподнятом настроении. Бледное лицо ее разгорелось, она пила чай, с аппетитом жевала пряники и болтала без умолку. Никита смотрел на неё и думал, что делать дальше. Влада ждёт его в Твери. Он обещал ей приехать через три дня, два уже прошло. Что, если она не дождётся его и убежит? Бросит Шоколада и была такова. Сашку напрягать в его ситуации — верх свинства, а больше за ней присмотреть некому. Машу тоже не бросишь, она теперь его забота навсегда. А главное, он так ничего и не узнал!! Никакой правды о том, кто же такая Влада и зачем она сочинила весь этот цирк с внучкой.

Они просидели около часа, и у Галки в кармане звякнул телефон.

— Алиса приехала. Я пойду. Она ждёт меня. — Девочка встала из-за стола.

— Передавай ей привет, — с улыбкой проговорила Маша. — Пусть заходит.

— Хорошо. До свиданья.

Хлопнула входная дверь. Никита и Маша переглянулись.

— Ты, наверное, голодный, — сказала она. — Надо обедать, а я тебя чаем пою.

— Все нормально, я не голоден. Мы завтракали поздно. — Никита машинально смотрел в окно, как Галка идёт через двор к спортивной площадке.

— Ой, — вдруг всполошилась Маша, глядя через открытую дверь в прихожую, — А слона-то, слона забыла! Вот раззява. Ник, будь другом, догони ее. Я специально для Алисы вязала этого слоника. Ее опять увезут, я так и не отдам.

— Хорошо, милая. Я сейчас.

Никита вышел в коридор, взял слоника и спустился во двор. Он не спеша дошёл до спортивной площадки. Галка стояла рядом с другой девочкой, красивой, длинноволосой шатенкой. Они о чем-то тихо и оживленно беседовали, не замечая Никиты. До него донёсся обрывок фразы.

— Тот самый? Из Москвы? Не может быть! — сказала шатенка.

— Говорю тебе, он. Никита! Значит, тот самый, — ответила Галка.

Он кашлянул. Девочки вздрогнули и обернулись.

— Галя, ты забыла слоника, — сказал Никита и протянул ей игрушку.

— Спасибо. — Она взяла слоника и сунула его подружке. — Это тебе. От тети Маши.

Та кивнула и пристально поглядела на Никиту.

— Ты ведь Алиса? — спросил он ее.

— Да.

— Ну вот, слоник для тебя. Береги его.

Он повернулся и пошёл обратно к дому. В его голове вертелся странный разговор девчонок. Что значит «тот самый»? Снова загадки, мало их ему загадывала Влада!

Машу он нашёл опять же перед зеркалом. Она пыталась завить короткие, непослушные волосы щипцами.

— Передал? — Она посмотрела на Никиту и тряхнула уже готовыми кудряшками. — Как тебе?

— Ты красавица. — Он нагнулся и поцеловал ее в эти самые кудряшки. — Всегда была красавицей, и сейчас ничего не изменилось.

— Скажешь тоже. — Маша кокетливо надула губки — видно было, что ей чрезвычайно приятен его комплимент. — Я уродина. Страшнее только в гроб кладут.

— Перестань, — устало произнёс Никита.

Она с удивлением подняла на него глаза.

— Что-то не так?

— Все отлично.

— Не ври. Я же вижу, ты какой-то напряжённый. Кстати, как тебе моя Галка? Понравилась? А Алиса? Правда, прелесть?

— Странные они какие-то, — невольно вырвалось у Никиты.

— Странные? Почему? — Маша перестала завиваться и уставилась на него с недоумением.

— Да я сейчас подошёл к ним и слышу, как эта твоя Алиса спрашивает Галку: мол, тот самый Никита? Из Москвы? А та отвечает: — «Да, точно, тот самый». Откуда они могут обо мне знать?

Плойка со стуком упала на пол. Маша тихо вскрикнула и приложила обе руки к груди.

— Что? Что такое? — испугался Никита. — Тебе плохо? Сердце?

— Господи, не может быть! Так вот откуда все это идёт! Как я раньше не догадалась?

— О чем не догадалась? Маша, что ты имеешь в виду?

— Скорее, Ник! Надо догнать их, пока они не ушли! Скорее, едем!

— Кто «они»? — Никита почувствовал, как по спине течёт пот.

— Ради бога, Ник! Быстрее. Я потом все объясню.

Он больше не спорил, а поспешно выкатил коляску и спустил ее вниз.

— На площадку! — скомандовала Маша.

Они проехали мимо удивленных старух туда, где Никита недавно оставил девчонок. Галка и Алиса стояли у турника и по-прежнему о чем-то жарко спорили. При виде приближающейся коляски, Галка попыталась броситься наутёк.

— Галя, стой! — крикнула ей Маша. — Пожалуйста, не уходи!

Алиса удержала подругу за руку. Она оставалась спокойной и невозмутимой, ее красивые серые глаза без страха смотрели на Никиту. Они подъехали совсем близко.

— Галя! — волнуясь, проговорила Маша. — Ты должна нам все рассказать! Всю правду.

— Какую правду? Я ничего не знаю. — Галкин веснушчатый нос сморщился, ее лицо скривила плаксивая гримаса.

— Откуда вы узнали про Никиту? Отвечай!

— Ничего мы не узнали. Он все врет.

— Что «все»? Вот ты и попалась. Откуда ты знаешь, что он мне сказал?

По загорелым Галкиным щекам потекли слезы.

— Это не я! Это все она. — Галка ткнула пальцем в Алису. — Она придумала. Я только... прочитала ваш дневник. Один разочек. Я тетрадку чистую искала, а он в шкафу лежал. Я думала, это просто тетрадь, открыла, а там... там все про этого... про Никиту Авдеева из Москвы. Ну я и прочитала. Случайно.

— Разве ты не знаешь, что чужие дневники и письма читать не полагается? — Маша с грустью посмотрела на Галку. Та опустила голову.

— Знаю. У меня как-то само собой получилось. Вы в ванной были, я все и прочла, до самого конца. И про то, как вы его любили, и про то, что он директор завода, и про то, что у него семья. И про ребёночка вашего...

— Да как ты могла? — Никита почувствовал, как его охватывает ярость. Он схватил Галку за плечи и потряс.

— Тише, Ник, не надо, — умоляюще проговорила Маша. — Она же ребёнок.

— Ребёнок! Как бы не так! Отвечай сейчас же, кому и за сколько ты слила информацию? — Он хотел снова тряхануть Галку, но та отпрянула от него и заревела в голос.

— Не трогайте ее. — Алиса шагнула вперёд и загородила собой подругу. — Она ни в чем не виновата. Это действительно я все придумала.

— Что придумала? — хором произнесли Маша и Никита.

— Ну все это. Попросила двоюродную сестру поехать в Москву, найти там вас и сказать, что она ваша внучка.

— Зачем??

— Чтобы вы дали денег. Тете Маше на операцию нужны деньги. Папа мой сказал, что она сможет ходить, если сделать операцию. Папа врач, он знает. Когда Галя рассказала мне про дневник, я сразу подумала о том, что у вас могут быть деньги. В Москве все богатые, а вы к тому же были директором завода.

— Когда это было, — усмехнулся Никита.

— Не так и давно, мы все узнали в Интернете. Я договорилась с Владой.

— Так Влада твоя двоюродная сестра?

— Да. Они с Радой давно собирались в Москву. Хотели учиться пению.

— С Радой? А это кто?

— Другая сестра. Они близняшки.

Никита почувствовал слабость в ногах и опустился прямо на траву. Так вот оно что! Влада и Рада! Обе рыжие, как апельсин, зеленоглазые, но одна трудяга, а другая лентяйка, одна чистюля, а другая нет, одна правша, а другая левша... Вот почему Влада периодически не откликалась на свое имя. Маша испуганно смотрела то на Никиту, то на девчонок.

— Я только одного не пойму, — проговорил Никита, немного приходя в себя. — Зачем такие сложности? Внучка, учеба в колледже. Не легче было бы просто сказать правду о том, что деньги нужны на операцию?

— Но ведь вы же были женаты, — возразила Алиса и кинула быстрый взгляд на Машу.

— Ну и что? — удивился Никита.

— Это вы сейчас так говорите «ну и что». А если б к вам в дом пришли просить денег для вашей бывшей... ну... — Алиса слегка замялась, потом махнула рукой и продолжила: — Да ещё и при жене. — Она решительно покачала головой.

— Но с чего ты решила, что для внучки мне не будет жалко денег? — спросил ее Никита.

— У сестёр есть знакомые пацаны, которые шарят в компьютерах, ну что-то наподобие хакеров. Они нашли вас в «Одноклассниках», вскрыли страницу и прочитали некоторые сообщения. В них вы пишете друзьям, что бог обделил вас внуками и вы ужасно переживаете по этому поводу. Я и подумала, что вы будете рады появлению внучки, да ещё такой классной, как наша Владка. Уж ей-то вы точно не откажете. Я просто хотела действовать наверняка.

— Ну а свидетельство о рождении? — никак не мог успокоиться Никита. — Свидетельство-то вы как умудрились подделать? Ведь это документ!

Алиса небрежно хмыкнула.

— Сразу видно, что вы не в теме. Сейчас это проще пареной репы. Заплатили немного тем же пацанам, которые вас в сетях взломали, они в копию Владкиного свидетельство вклеили строчки с другой фамилией, ее и матери, а потом отсканировали его, отфотошопили в специальной программе и напечатали. Затем сняли копию уже с ксерокса. В последней копии вклейка почти незаметна. Они, парни эти, так и сказали — дед ваш ничего не разберёт, главное, чтобы сразу поверил, и не показал кому-нибудь знающему.

Никита молчал, ошеломлённый Алисиной недетской предприимчивостью и железной логикой, а заодно своим простодушием. Вот старый дурак, не смог отличить копию от подлинника! Ведь видел же, с самого начала видел, что бумажка — филькина грамота, вся измятая, специально, чтобы подделка не бросалась в глаза. Но Алисин расчет и тут сработал: Никите плевать было на документы, он сразу безоговорочно поверил Владе, поверил, что она его и Машина внучка, и даже ничуть в этом не усомнился!

— Что было дальше? — спросил он после длительной паузы. — Твои сёстры привезли деньги?

— Нет. — Алиса грустно покачала головой. — Они пропали.

— Деньги?

— И деньги, и Влада с Радой. Их нигде нет, они не отвечают на звонки. Мы с родителями не можем их найти. Папа очень волнуется и переживает. Им всего по восемнадцать, он боится, что они попали в беду.

— Ну, где находится Рада, мне известно, — с усмешкой произнёс Никита.

— Где? — Алиса вскинула на него серьёзные глаза.

— Она под Тверью, в деревянном домике с печью, в обществе чёрного, как ночь, дога по кличке Шоколад. На неё наехали какие-то отморозки, и она обратилась ко мне за помощью, выдав себя за Владу. А вот где сама Влада... — Никита развёл руками и грустно закончил: — Этого я не знаю.

— Надо обязательно найти ее, — взволнованно проговорила Маша. — Возможно, она нуждается в помощи. Может быть, Рада знает, где сестра?

— Уверен, что знает, — сказал Никита. — Она общается с ней по телефону. Я сам слышал, как она диктовала сообщения, просто не догадывался кому. Но она ничего не скажет нам.

— Это верно, — подтвердила Алиса. — Рада Владу ни за что не выдаст. Если та не хочет, чтобы ее обнаружили, то Рада сделает все, чтобы ей помочь.

— Что за дурацкая круговая порука? — рассердился Никита. — Влада, возможно, виновна в смерти моей жены. Немудрено, что она скрывается ото всех.

— Влада тут ни при чём! — с жаром произнесла Алиса. — Они с Радой, конечно, хулиганки, но не преступницы.

— Я бы на твоём месте помолчал, — сказал ей Никита. — Вы все четверо как раз и есть самые настоящие преступницы. Придумать план, залезть в чужую переписку, изготовить поддельные документы, обманом выманить деньги, — это тянет на приличный срок. Понятно, что вам с Галиной он не грозит. Но вашим сёстрам...

— Я знаю, где может быть Влада, — неожиданно проговорила Галка, сквозь всхлипывания.

— Где?? — Все трое обернулись к ней.

— Мы летом строили шалаш за огородами, в лесу. Помнишь? — Галка посмотрела на Алису.

— Ну, помню, — задумчиво ответила та. — И что?

— А то, что я, пока была у бабушки, ходила туда и видела, что там кто-то живет. Я ещё подумала, что это бомжи забрались в наш шалаш. А теперь... я думаю, что это Владка.

— Почему ты в этом уверена? — спросил Никита.

— Не знаю. — Галка пожала плечами. — Просто... где ей ещё быть? Если ее нигде нет.

— Логично. — Маша невольно улыбнулась.

— Что ж ты раньше молчала? — накинулась на неё Алиса.

— Так раньше ее там не было! Она только недавно появилась, когда стало совсем тепло.

— Надо срочно идти туда, — сказала Маша.

— Далеко это? — спросил Никита.

— Не очень, — ответила Алиса. — Пешком минут двадцать.

— Поехали на машине, — решил Никита. — Все вместе.

Алиса и Галка с готовностью закивали. Все четверо вернулись во двор. Никита посадил Машу и девочек в салон, а коляску погрузил в багажник.

— Показывайте дорогу.

Они доехали минут за семь. За дачными участками начиналась небольшая лесополоса.

— Где шалаш? — спросил Никита у Галки.

— Там. — Она указала за деревья.

Никита повёз коляску по тропинке, то и дело цепляясь колёсами за корни.

— Боюсь, нам тут не проехать. — Он остановился и велел Галке: — Стой тут, охраняй тетю Машу. Если что, кричи.

— Хорошо.

— А ты со мной. — Никита взял Алису за руку. Она не сопротивлялась. Вдвоём они быстро углубились в заросли деревьев. — Далеко ещё? — спросил Никита.

— Осталось чуть-чуть.

— И как вас родители отпускают в такую глушь?

Алиса пожала плечами.

— Мы уже взрослые.

— Да, заметно, — язвительно проговорил Никита.

Они прошли ещё минут пять, и Алиса остановилась.

— Вот здесь. — Она нагнулась, и Никита увидел сплетённый из веток и закиданный соломой шалаш. Рядом чернело пепелище костра, валялся котелок и пара пустых консервных банок. Он заглянул вовнутрь — там была устроена лежанка из тряпья и стоял деревянный ящик со всякой мелочовкой — спичками, фонариком, перочинным ножиком.

— Не похоже, чтобы здесь жила девушка. — Никита втянул носом воздух. В шалаше пахло застарелым мужским потом и перегаром. — Если тут и ночует кто-то, то действительно бомжи, как предполагала Галка.

Алиса, ничего не отвечая, стояла рядом и ковыряла землю носком кроссовки. В душу Никиты начали закрадываться подозрения.

— Ты это нарочно?

Алиса недоуменно вскинула брови.

— Что вы имеете в виду?

— Перестань валять дурака! Ты с самого начала знала, что никакой Влады здесь нет, просто воспользовалась Галкиной глупой идеей, чтобы отвлечь нас. А я, дурак, поверил тебе. Где родители близняшек? Как они могут спокойно относиться к тому, что дочери пропали и полгода не появляются дома? Что ты мне тут сочиняешь?

— Я ничего вам не скажу, — твёрдо проговорила Алиса и на всякий случай отступила от Никиты на шаг назад, но он крепко схватил ее за руку.

— Не вздумай бежать, ты все равно мне расскажешь всю правду. Где находится Влада? Она ведь выходит на связь, иначе бы ее давно разыскивали родные.

— У неё нет родных. Ее родителей лишили родительских прав за то, что они беспробудно пили. Влада и Рада выросли вместе со мной. Папа забрал их к нам пять лет назад.

— Опять врешь? — Никита посмотрел на Алису с сомнением.

— Не вру. Вы... вы хотите отправить Владу в тюрьму? Вы ведь за этим приехали?

В ее глазах мелькнуло отчаяние.

— С чего ты взяла? — удивился Никита. — Я приехал узнать, почему Влада так сильно изменилась. Я же не знал, что это ее сестра.

— Но вы ведь сказали, что подозреваете Владу в убийстве вашей жены.

— Я хочу разобраться в том, что случилось в тот день. Я любил Владу как родную и меньше всего хотел причинить ей вред. Пожалуйста, скажи, ты знаешь, где она?

Алиса кивнула.

— Она у своей тетки, в деревне. Та глухонемая, не говорит. Влада живет у неё с самой зимы. Мама и папа считают, что они с Радой учатся в Москве. Они периодически звонят им, рассказывают, как у них все хорошо.

— А ты...

— А я все знаю. Все, что случилось.

Никита впился взглядом в ее лицо.

— Что? Расскажи!! Сейчас же говори!

— Лучше пусть Влада сама. Поедем к ней, это здесь, недалеко. Галю только отпустим, она нам ни к чему.

— Если ты опять обманываешь меня, я, ейбогу, отведу тебя в полицию!

— Не обманываю. Но и вы обещайте мне.

— Что я должен обещать? — удивился Никита.

— Что вы не сдадите Владу полиции.

— Обещаю.

Они дошли по тропинке до просеки. Маша сидела в коляске, с тревогой оглядываясь по сторонам. Рядом топталась Галка.

— Ну что? — спросила Маша упавшим голосом. — Нету?

— Нет. Мы сейчас отвезём Галю домой и поедем ещё в одно место.

— В какое место?

— Подожди, скоро все узнаешь.

Никита толкнул коляску и покатил ее по дорожке к машине. Всю дорогу до дома царило напряженное молчание. Никита старался взять себя в руки, но его возбуждение зашкаливало. Неужели близится разгадка и он сейчас увидит Владу? Настоящую Владу, ту, которую он принял, как свою внучку, и полюбил всем сердцем, посвятив ей всего себя? Маша тоже нервничала. Никита боковым зрением видел, как она стискивает руки на коленях, пытаясь справиться с волнением.

Никита высадил Галку у подъезда.

— Родители не будут тебя искать? — спросил он у Алисы, когда за ее подругой захлопнулась дверца.

— Я им написала, сказала, что буду в гостях до вечера.

— Ладно, едем. Адрес диктуй.

Никита забил в навигатор теткин адрес и рванул с места.

33.

Машина неслась мимо зелёных полей и еловых перелесков. Никита до предела выжимал газ, ему не терпелось поскорей добраться до места назначения.

— Уже скоро, — подала с заднего сиденья голос Алиса, — почти приехали.

Справа на холме показалась деревушка, всего десяток домов, стоящих тесно друг к дружке.

— Нам туда, — Алиса указала на дорожку, вьющуюся между холмами.

Никита кивнул и свернул с трассы. Они запетляли по зелёному заливному лугу, то въезжая на пригорок, то скатываясь вниз.

— Направо, — командовала Алиса. — Теперь налево. Прямо.

Никита подъехал к кособокому забору из полусгнивших досок и остановился.

— Можно, я сначала одна зайду? — спросила Алиса.

Никита нехотя кивнул.

— Давай. Только убежать не вздумай.

Она толкнула скрипучую калитку. Никита и Маша остались в машине. Они смотрели друг на друга и молчали. Первой тишину нарушила Маша.

— Ник, я прошу тебя! Будь благоразумен. Не пори горячку.

— С чего ты взяла, что я собираюсь пороть горячку? Я хочу выслушать ее. Если, конечно... Алиса не обманула нас в очередной раз.

— Думаю, что нет.

Калитка снова скрипнула. Никита взглянул в окно и замер. Перед машиной стояла Влада! На ней были старенькие, дырявые на коленках джинсы и клетчатая рубашка, завязанная узлом на поясе. Рыжие волосы скручены в пучок на затылке. Лицо серьезное и непривычно бледное.

— Влада! — Никита кинулся из машины и остановился, не решаясь сделать последний шаг.

— Дед... — Она глубоко вздохнула и заморгала, часто-часто.

Он понял, что она пытается сдержать слёзы.

— Ну тихо, не надо. Не надо, не плачь. — Он обнял ее и прижал к себе.

— Прости меня, дед. — Влада всхлипнула и уткнулась лицом ему в плечо.

— Давай успокойся. — Он погладил ее по голове. — Сядь в машину. Нам надо поговорить.

Она кивнула, вытерла слёзы и села на заднее сиденье. Тут только Никита заметил стоявшую за ее спиной Алису.

— Ты тоже садись. Вперёд, рядом с тетей Машей.

— Хорошо. — Она хлопнула дверцей.

Никита уселся назад, к Владе.

— Я весь внимание. Кстати, познакомься, это Мария Свиристелкина, твоя бабушка. Причём покойная.

Влада опустила голову.

— Я помогу тебе, — сказал Никита мягче. — Алиса поведала нам свой план. Я в курсе, что режиссёр спектакля она, а ты лишь исполнитель. Но вот дальше ты должна пролить свет на произошедшее.

— Дед, я не убивала Надежду Сергеевну! — Влада стиснула Никитину руку. — Клянусь! Она упала сама. Но мы очень виноваты. Мы с Радой. Я знаю, что она у тебя, она написала мне. Мне очень стыдно. Я тебя обманула. Алиска попросила меня изобразить твою внучку. Она хотела, чтобы я достала денег для операции, для неё. — Влада кивнула на Машу. — Я согласилась. Но куда я без Радки? Мы всегда вместе, вот и уехали. Думали, я поживу у тебя, мы освоимся в Москве, найдём работу. Будем выступать на улице, а там и учиться пойдём.

Ты был таким добрым. Мне было ужасно совестно. Я чувствовала себя самой любимой, самой балованной внучкой на свете. Дед, у меня никогда не было ни бабушки, ни дедушки. И папы с мамой, считай, тоже. Только дядя, Алисин отец, и тетя, ее мать. А тут настоящие, любящие дед и бабка. Я была на седьмом небе.

Вскоре ты дал мне деньги. Их нужно было отослать в М. Я так и собиралась сделать. Но Радка... она связалась с одними придурками. Они решили замутить какое-то выгодное дельце. Им нужен был стартовый капитал. И она стала канючить, просить меня, чтобы я повременила, не посылала деньги. «Какая разница, — говорила она, — если эта Мария сидит в коляске уже тридцать с лишним лет, неужели она не может подождать ещё чуть-чуть? Всего пару месяцев». Мне не хотелось отдавать деньги, и Алиска каждый день звонила и спрашивала, когда мы их пришлём. Но я не могла отказать сестре. У близнецов особенная связь, мы слишком много значим друг для друга. И я отдала ей деньги.

Зачем я это сделала! Я почти сразу поняла, что это было ужасной ошибкой. Те, с кем связалась Рада, не имели ни чести, ни совести. Они просто обвели ее вокруг пальца, наплели с три короба. А она верила им, как дурочка. Рассказывала мне, как разбогатеет, у неё будет много бабок, на все хватит. И на учебу в Москве, и даже на жилье. Я не верила ей. Я просила ее забрать деньги и послать Алисе. Но с каждым днём моя надежда на то, что все кончится миром, таяла. Мы стали ужасно ссориться. Наверное, ты даже слышал, как я кричала на Раду по телефону.

— Слышал, — подтвердил Никита. — Я думал, ты разговариваешь с этим своим... со скрипачом.

— С Шуриком? — Влада улыбнулась сквозь слёзы. — Нет, что ты. Мы почти не созванивались с ним. Только пару раз.

— Да... зря я не верил ему, — грустно проговорил Никита.

— Зря, — согласилась Влада. — Он хороший парень. Он единственный знал о том, что у меня есть сестра, и о наших терках. Знал и молчал как партизан, даже на допросе не раскололся. Радка мне потом написала, как ты ей рассказывал, что его допрашивали.

— Да, парень — крепкий орешек, — согласился Никита. — Что дальше было?

— А дальше я поняла, что денег не увижу как своих ушей. Мне было жутко стыдно перед тобой и Алисой. Я ведь вместе с ней разрабатывала этот план, уверяла ее в том, что у меня все получится, хвасталась, когда ты вручил мне конверт с деньгами. Я наивно решила, что, может быть, сумею отработать хотя бы часть денег, потраченных Радой. Устроилась в «Макдоналдс на полную загрузку», уставала как собака. По вечерам изображала замученную от занятий бедную девочку и понимала, что толку от всего этого ноль. Зарплаты моей катастрофически не хватало на дорогостоящую операцию, если только копить несколько лет. Но не могла же я и дальше продолжать обманывать тебя!

Все должно было кончиться рано или поздно. Ты бы попросился ко мне на концерт, не в переход, а в колледж. И что бы я тебе сказала? — Влада прерывисто вздохнула и поправила волосы. — И тогда я решила, что должна исчезнуть. Просто уйти как-нибудь и больше не вернуться. Снимать комнату или уехать домой, как пойдет. Я уже подбирала подходящий день для этого.

Но тут... тут случился кошмар. Радка словно взбесилась. Те деньги, что ты дал, они с дружками профукали, и теперь им нужно было еще во что бы то ни стало. Она начала орать, чтобы я не смела уходить от вас и попросила ещё денег. «Он добренький и любит тебя. Он все для тебя сделает», — так она говорила мне. Я сказала, что это исключено, я и так обманула целых трех человек:

тебя, Надежду Сергеевну и Алису. И больше обманывать никого не буду. И тогда она... тогда она стала угрожать, что все расскажет тебе! Как я наврала тебе, прикинулась твоей внучкой и сделала это из-за денег.

Я испугалась этого как огня — представила себе твои глаза, когда ты узнаешь правду обо мне. Только теперь понимаю, какая я была малодушная дура. Сбежать и бросить вас мне было легче, чем ответить за свои проступки. Я стала умолять Раду не делать этого, но она не унималась...

В тот день у меня была до вечера работа, а после концерт. Ты позвонил мне, спросил, когда я буду дома. Я сказала, что поздно. Только я отложила телефон, начала трезвонить Радка. «Когда принесешь деньги?» — кричала она мне в трубку. Меня охватила ярость. Я так устала от всего этого — вечного страха, вранья. «Никогда», — сказала я ей.

Мне стало ясно, что час икс настал. Бежать нужно сегодня, прямо сейчас, пока Радка не привела свою угрозу в исполнение. Если я исчезну, у нее не будет возможности шантажировать меня и требовать, чтобы я обманывала тебя и дальше. Я решила сегодня же уехать домой. Сказала на работе, что увольняюсь, ушла пораньше. Думала, забегу к вам на пару минут, потихоньку возьму вещи, совру вам, что срочно должна убегать, и была такова.

Но не тут-то было, Рада — почувствовала. Она всегда знает, когда я замышляю что-то против ее желания. Я уже подходила к подъезду, когда увидела ее. Она шла мне наперерез.

— Решила слинять по-тихому? — спросила она. — Не выйдет. Я иду с тобой в квартиру. Сейчас твои добрые бабушка и дедушка все узнают про свою милую «внученьку».

Я оттолкнула ее и бросилась в подъезд. Успела захлопнуть дверь перед ее носом, но я не знала, как быть. В голове все перемешалось. Я желала только одного — чтобы Рада куда-нибудь делась, не зашла и не опозорила меня перед вами. Я пулей залетела в квартиру, надеясь, что Радка опомнится и уйдёт.

Надежда Сергеевна стояла на стремянке и протирала люстру. Она услышала, как я вошла, и крикнула:

— Владочка! Как хорошо, что ты вернулась пораньше. Дедушка сказал, что ты будешь поздно. Иди-ка, помоги мне.

Я, стараясь унять сбившееся дыхание, зашла в комнату, каждую секунду опасаясь услышать звонок в дверь. Я на ходу придумывала, как скажу, что это пьяница какой-то звонит в квартиру, и не открою. Но все было тихо, и я понемногу успокоилась. Взяла тряпку, надела перчатки.

— Давай я слезу, а ты на мое место, — сказала Надежда Сергеевна.

— Конечно, — согласилась я.

Мне хотелось напоследок сделать хоть что-то полезное. Она начала слезать, и вдруг… за окном балкона послышался какой-то шум. Надежда Сергеевна обернулась, я тоже — и чуть не вскрикнула от ужаса.

На балконе стояла Рада! Она залезла на второй этаж! Ей это ничего не стоило, она с детства лазает, как обезьяна, даже пробовала заниматься паркуром, и у неё получалось. Я вздрогнула. В этот момент Надежда Сергеевна громко охнула и схватилась за сердце. Ее можно было понять: я рядом с ней в перчатках и с тряпкой и я же, только в куртке, стояла на балконе, почти прилепив нос к оконному стеклу. Зрелище не для слабонервных. Стремянка пошатнулась, и не успела я шевельнуться, как Надежда Сергеевна с грохотом полетела на пол. Я очнулась и кинулась к ней. Я звала ее, била по щекам, но она не отзывалась. Глаза ее были закрыты, висок в крови. Вне себя от страха я вскочила и кинулась к балкону.

— Что ты наделала? — кричала я Раде. — Ты убила ее!

— Нет, это не я, а ты ее убила, — возразила она. — Если что — это ты здесь жила как внучка. Искать будут тебя. И если бы не твое упрямство, ничего бы не произошло.

Я поняла, что она права. Я пришла в этот дом, обманула доверчивых стариков, заварила всю эту кашу с деньгами. Я никогда никому не объясню, что не хотела ничего плохого, а, наоборот, пыталась помочь человеку.

— Что ты стоишь? — сказала мне Рада. — Беги. Она, по ходу, мертва. Если ты не исчезнешь, сегодня же будешь сидеть в кутузке.

Прибежал Шоколад. Он метался между Надеждой Сергеевной, лежащей на полу, и Радой, стоящей за стеклом, и громко лаял.

— Беги, — крикнула мне Рада и скрылась за перилами балкона.

Я последний раз склонилась над Надеждой Сергеевной, послушала, дышит ли она. Мне показалось, что нет. Глотая слёзы, я кинулась в свою комнату, схватила какие-то вещи и побежала вниз. Рада ждала меня у соседнего дома.

— Тебе надо уехать из Москвы сейчас же. Не бойся, они тебя не найдут. Они будут искать Владу Свиристелкину, а ты Влада Потёмкина. И отчество у тебя совсем не Леонардовна. Езжай к тетке в деревню и сиди там тише воды ниже травы.

— А ты? — спросила я ее.

— А я останусь здесь. У меня большие планы, их надо осуществлять. Симку из телефона сломай и выброси, купи новую, чтобы можно было связаться с тобой.

Мне ничего не оставалось, как послушаться ее. Я поехала на вокзал, села в поезд и через пять часов уже была здесь. По дороге я купила новый телефон, позвонила Алисе и все ей рассказала. Попросила прощения за то, что подвела ее. Мы договорились, что я буду иногда звонить ее родителям, будто бы я в Москве. А она должна была следить, не придёт ли полиция к Марии Свиристелкиной искать ее лжевнучку, и если придёт — тут же сообщить.

— Полиция бы никогда не пришла, — тихо сказал Никита.

— Почему? — Влада вскинула на него мокрые глаза.

— Потому, что я не сказал о том, что ты моя внучка. И про Машу тоже. Я... я не хотел, чтобы тебя нашли. Но мне было очень тяжко.

— Дед, милый... — Влада заплакала навзрыд, уже не сдерживаясь.

Маша тоже начала шмыгать носом.

— Так ты тут так и сидела, в этой деревне? — Никита погладил Владу по плечу.

Она кивнула, продолжая плакать.

— М-мы... с Радкой созванивались. Она чувствовала себя... виноватой. Говорила, что хочет завязать с той компанией, нашла хороших ребят-музыкантов, и они успешно выступают. Но ей... тоже пришлось несладко. Эти мерзавцы не захотели ее отпускать. Они угрожали ей, несколько раз даже избили. А потом... потом стали шантажировать, так же, как она меня. Мол, иди к своему «деду», вотрись снова к нему в доверие, выясни, где он хранит деньги, и обчисти квартиру. Так она оказалась в моей шкуре, и даже хуже. Выхода у неё не было, и она пришла к тебе. А ты увёз ее далеко от Москвы. Там она почувствовала себя в безопасности. Связь там хоть и плохая, но была, мы могли слать друг другу эсэмэски и иногда созваниваться — когда ты не слышал. Она... она похожа на меня лишь внешне, а по характеру мы разные. Совсем разные.

— Да, я это понял. — Никита вдруг почувствовал, как его отпускает.

На сердце стало легко, вечная тревога, терзавшая его с того страшного предновогоднего дня, улетучилась без следа.

— Она, Радка, говорила мне, что раскаивается в своих поступках, ты супердед, лучший, какой только может быть, и она привязалась к тебе. Пойми, она ведь не хотела, чтобы Надежда Сергеевна погибла. Просто попала под дурное влияние и не ведала, что творит.

— Поэтому она молчала? — догадался Никита. — Ведь она могла рассказать мне правду о том, что случилось. Но продолжала делать вид, что она — это ты.

— Да, она боялась, что ты рассердишься и сдашь ее в полицию. Или нас обеих, что тоже было бы справедливо. — Влада замолчала. Она уже не плакала, лишь иногда судорожно всхлипывала и тяжело дышала.

Никита тронул Алису за плечо.

— Вот что наделал твой план.

— Да. — Она опустила глаза. — Я хотела как лучше. Если бы у папы были деньги, он обязательно дал бы их тете Маше на операцию. Но у него небольшая зарплата, а ещё... ещё мама должна скоро родить маленького. Я думала, это будет правильно — чтобы вы позаботились о тете Маше. Теперь все пропало... — Она тоже хлюпнула носом, что изумило Никиту. Он был уверен, что такие девочки, как Алиса, никогда не плачут.

— Ничего не пропало, — твёрдо проговорил он. — Мы найдём выход. Тетя Маша будет ходить.

— Правда? — в один голос вскрикнули Алиса и Влада.

— Конечно, правда! Я что-нибудь придумаю. Но сейчас нам пора. Алису ждут дома. А нас... — Он поглядел на Владу и Машу. — Нас ждёт Рада. Пора вам воссоединиться.

— Неужели ты не сердишься на нас? — робко спросила Влада.

— Сержусь, конечно. Но вы же... мои внучки. Целых две. Я об этом и мечтать не мог.

Влада порывисто обняла его и прижалась к его щеке...

34.

Ночные фонари вдоль дороги неслись вперёд, разбегаясь веселыми желтыми огоньками в разные стороны и потом сходясь вместе, чтобы через секунду снова разойтись. Никита крутил руль и поглядывал на стрелку навигатора — она, как змея, подползала все ближе к Москве. Рядом на пассажирском сиденье дремала Маша, сложив на коленях худенькие руки. Позади сопела во сне Влада. Они проехали по МКАДу и свернули на Ленинградку. Никита почувствовал, что клюёт носом, и глотнул остывший кофе из пластикового стаканчика. Почему-то сейчас он не к месту вспомнил того седого профессора, который прочил ему спокойную старость на кефире и грелках. Вспомнил и усмехнулся. Смог бы он, этот маститый доктор, в таком возрасте преодолеть расстояние в тысячу километров? А Никита смог! И сможет ещё столько же, потому что в домике под Тверью его ждёт Рада! Они позвонили ей, сказали, что едут и она заплакала в трубку, так же как и Влада. Все плакали, и Маша с ними. Даже Никита пустил скупую мужскую слезу. Но теперь все плохие эмоции позади, а впереди только радость от встречи...

Когда автомобиль подъехал к лесничеству, только-только начало светать. Было полчетвёртого утра.

— Просыпайтесь. — Никита легонько потормошил Машу, и она открыла глаза.

Они были дымчатого цвета, и в них плескалось счастье. Такое выстраданное счастье через долгие годы ожидания. Влада позади сладко потягивалась и напевала какой-то веселый мотив. Голос ее звучал чисто и легко, правда без серебряных верхушек, зато с бархатистыми низами — так, как запомнил его Никита. Он слушал и наслаждался.

Влада сделала небольшую паузу и снова запела. Никита с замиранием сердца узнал свою любимую мелодию. Маша тоже навострила уши, прислушалась. Лицо ее вдруг побледнело, губы задрожали.

— Что ты, милая? — испугался Никита. — Что-то болит? Укачало?

— Нет, — произнесла она сдавленным голосом.

— А что тогда?

— Просто... эта мелодия... я... я знаю ее!

— Знаешь? — удивился Никита. — Откуда?

— Я пыталась сочинить ее. Я посвятила ее тебе, нашей с тобой любви! Я мечтала сыграть ее со сцены, когда еще была здорова... Ник, откуда она может знать ее?

Никита пожал плечами и, ошеломленный, обернулся к Владе.

— Что это за песня? Ты говорила, что она бабушкина любимая. Но... как ты могла знать?

Влада виновато улыбнулась:

— Я обманывала тебя. Прости. Эту песню придумала я сама, и аранжировку сделала.

Никита и Маша переглянулись. «Рыжие женщины в старину считались ведьмами», — вспомнилось Никите. Маша молчала, глядя на него напряженно и с ожиданием.

— Я не могу тебе объяснить, как это происходит, — сказал ей Никита. — Наверное, в этой жизни есть что-то, не поддающееся логике и разуму. Возможно... это называется...

— Чудо, — неожиданно спокойно подсказала Маша. — Обыкновенное чудо, как в фильме, помнишь?

Влада за спиной снова замурлыкала вполголоса...

— Мы приехали, — сказал Никита и нажал на тормоз.

Они вышли из машины и зашли в калитку.

— Радка дрыхнет, наверное, — с улыбкой проговорила Влада. — Она у нас соня.

В это время из дома послышался громкий лай. Дверь распахнулась, Шоколад выбежал во двор и кинулся Никите на грудь.

— Привет, чёрный, здорово! Как я соскучился по тебе. — Никита гладил пса, чесал его за ухом.

— И я соскучилась. — Влада, взвизгнув, принялась обнимать собаку.

— Привет многодетному деду! — раздался с крыльца знакомый голос.

Никита поднял голову. На пороге стоял Куролесов и широко улыбался во все свои коронки.

— Ты как здесь?

— А вот так. Что ж я, брошу друзей в беде? За внучкой твоей нужен глаз да глаз. Правда, Влада? — Он вывел из-за спины смущенную Раду.

— Рада я. — Она неловко опустила глаза. — Говорила же!

— Ой, пардон, запутался, не привык ещё. — Куролесов шутливо приложил руку к сердцу. — Сорри.

— Ты бросил Лену одну в Москве? — возмутился Никита.

— Зачем бросил? С собой взял. Дома, как говорится, и стены лечат. Там она. — Он кивнул на дверь. — Лежит пока, но скоро встанет и будет нам пироги свои печь.

— Ещё чего! И не думай даже. Пусть лежит все девять месяцев, — сказал Никита.

Но Куролесов уже не слушал его. Взгляд его был прикован к инвалидной коляске, в которой сидела Маша.

— Это... кто? Это она? Твоя Мария?

— Да, — с гордостью произнёс Никита. — Знакомьтесь.

Сашка сбежал с крыльца, подошёл к Маше и протянул ей руку.

— Александр.

— Маша.

— Вы очень красивая, Маша. Никите можно только позавидовать.

Рада между тем тоже спустилась с крыльца и теперь стояла напротив Никиты и Влады.

— Дед, прости! Это все из-за меня. Я во всем виновата. Зачем я как дура полезла на ваш балкон?

— Давай не будем ворошить прошлое. — Никита обнял обеих девушек. — Надя была бы рада тому, что у нас такие внучки. Пошли в дом, нужно позавтракать...

Все собрались за круглым деревянным столом. Лена, бледная, но счастливая, села рядом с Машей. Влада и Рада хлопотали у плиты, Никита и Куролесов выпили по стопочке коньячка.

— После завтрака поспим немного и на речку, — предложил Никита.

— Да! — подхватили девчонки.

— Я с вами, — тут же сказала Лена. — Купаться не буду, посижу на берегу. Маленькому полезно будет.

Одна Маша молчала, грустно глядя куда-то в сторону.

— Ты что? — Никита погладил ее по щеке. — Чего грустишь?

— Как я хочу хоть на секунду коснуться ногами травы, зайти в воду. Если б ты знал, как мне этого хочется, Ник.

— Знаю, милая. Обязательно коснёшься и зайдёшь. Я обещаю.

— Правда, Машенька, наш Кузьмич нормальный мужик, — встрял Сашка. — Думаешь, деньги, которые пропали, у него последние? Как бы не так. Кое-что ещё имеется на счету. Так, Кузьмич?

— Так-то оно так. — Никита загадочно улыбнулся. — Но того, что есть, не хватит на осуществление всех моих планов. Тут нужна стратегия.

— Каких планов, дед? — Влада уставилась на него с любопытством.

— Ну, помимо того, чтобы сделать Маше операцию, мне нужно, чтобы вы учились. Обе.

— Это же бешеные бабки, — с безнадёжностью в голосе проговорила Рада.

— Большие, да. Но не бешеные. Говорю, тут нужна стратегия. — Никита посмотрел на Куролесова и подмигнул ему. Затем достал из кармана ветровки квитанцию из лаборатории и порвал ее на мелкие кусочки на глазах у Лены и изумленных девчонок...

35.

Прошёл год. Теперь в лесничестве стоят два дома, один старый, бревенчатый, а другой большой, кирпичный, с множеством окон и высоким крыльцом. На участке появились ровные дорожки, вымощенные разноцветной плиткой. По ним очень удобно ходить, опираясь на костыли. Именно так передвигается пока Маша Свиристелкина, осторожно переставляя ноги, обутые в тёплые войлочные ботинки. Операция прошла успешно, и она мечтает о том моменте, когда сможет наконец отбросить костыли, снять ботинки и пробежать босиком по густой траве прямо к речке. Врачи сказали, что скоро так и произойдёт.

Под рябиной у стола стоит коляска — не простая, а двойная. Там сладко спят сразу два наследника Сашки Куролесов, близнецы Рома и Тема. Их мама Лена месит тесто на кухне. По участку с визгом бегают три шоколадных щенка с белыми крапинками. Их дрессирует Куролесов, решивший наконец, каким делом займётся вдали от Москвы и от своего завода. А в гостиной кирпичного дома уютно горит камин. Никита Кузьмич сидит на диване и играет на гитаре. Влада и Рада распевают свои вокализы под его аккомпанемент. Они студентки первого курса колледжа на Ордынке, и скоро их отчетный концерт.

Во всей этой идиллии нет только одного — дачи, которую некогда построил Никита Авдеев, будучи директором завода. Ее продали за неплохие деньги. Остались только фотографии в альбоме: зимний сад, каминный зал, зона барбекю, футбольное поле...

— Жалеешь? — спрашивает Никиту Куролесов, когда они с ним вечерком пропускают пару рюмочек коньяка.

— Нет, не жалею, — отвечает Никита.

И он не кривит душой. Зачем человеку роскошные хоромы, если на душе мрак и холод? И наоборот, когда в сердце весна, простой и скромный дом будет казаться царским дворцом.

Никита достаёт со стены гитару, долго и придирчиво настраивает ее, чтобы та звучала идеально чисто, садится на любимый диван и кричит:

— Эй, молодежь! Спешите услышать! Незабываемая композиция специально для вас. «В джазе только дедушки».

Народ хохочет и занимает места.

Оглавление

Литературно-художественное издание

ДЕТЕКТИВ СИЛЬНЫХ СТРАСТЕЙ. РОМАНЫ Т. БОЧАРОВОЙ

Бочарова Татьяна Александровна

ЧЕРНОЕ ОБЛАКО ДУШИ

Руководитель отдела И. Архарова
Ответственный редактор А. Антонова
Выпускающий редактор В. Лосева
Художественный редактор А. Дурасов
Технический редактор Н. Духанина
Компьютерная верстка Д. Фирстов
Корректор Н. Сикачева

Страна происхождения: Российская Федерация
Шығарылған елі: Ресей Федерациясы

ООО «Издательство «Эксмо»
123308, Россия, город Москва, улица Зорге, дом 1, строение 1, этаж 20, каб. 2013.
Тел.: 8 (495) 411-68-86.
Home page: www.eksmo.ru   E-mail: info@eksmo.ru
Өндіруші: «ЭКСМО» АКБ Баспасы,
123308, Ресей, қала Мәскеу, Зорге көшесі, 1 үй, 1 ғимарат, 20 қабат, офис 2013 ж.
Тел.: 8 (495) 411-68-86.
Home page: www.eksmo.ru   E-mail: info@eksmo.ru.
Тауар белгісі: «Эксмо»
Интернет-магазин : www.book24.ru
Интернет-магазин : www.book24.kz
Интернет-дукен : www.book24.kz
Импортёр в Республику Казахстан ТОО «РДЦ-Алматы».
Қазақстан Республикасындағы импорттаушы «РДЦ-Алматы» ЖШС.
Дистрибьютор и представитель по приему претензий на продукцию,
в Республике Казахстан: ТОО «РДЦ-Алматы»
Қазақстан Республикасында дистрибьютор және өнім бойынша арыз-талаптарды
қабылдаушының өкілі «РДЦ-Алматы» ЖШС,
Алматы қ., Домбровский көш., 3-а», литер Б, офис 1.
Тел.: 8 (727) 251-59-90/91/92; E-mail: RDC-Almaty@eksmo.kz
Өнімнің жарамдылық мерзімі шектелмеген.
Сертификация туралы ақпарат сайтта: www.eksmo.ru/certification
Сведения о подтверждении соответствия издания согласно законодательству РФ
о техническом регулировании можно получить на сайте Издательства «Эксмо»
www.eksmo.ru/certification
Өндірген мемлекет: Ресей. Сертификация қарастырылмаған

16+

Дата изготовления / Подписано в печать 24.12.2020. Формат 84x108 $^1/_{32}$.
Гарнитура «Caslon 540». Печать офсетная. Усл. печ. л. 16,8.
Тираж 2500 экз. Заказ № 2014280.

Отпечатано в полном соответствии с качеством
предоставленного электронного оригинал-макета
в ООО «Ярославский полиграфический комбинат»
150049, Россия, Ярославль, ул. Свободы, 97

Москва. ООО «Торговый Дом «Эксмо»
Адрес: 123308, г. Москва, ул. Зорге, д.1, строение 1.
Телефон: +7 (495) 411-50-74.   **E-mail:** reception@eksmo-sale.ru

По вопросам приобретения книг «Эксмо» зарубежными оптовыми
покупателями обращаться в отдел зарубежных продаж ТД «Эксмо»
E-mail: **international@eksmo-sale.ru**

*International Sales: International wholesale customers should contact
Foreign Sales Department of Trading House «Eksmo» for their orders.*
international@eksmo-sale.ru

По вопросам заказа книг корпоративным клиентам, в том числе в специальном
оформлении, обращаться по тел.: +7 (495) 411-68-59, доб. 2261.
E-mail: **ivanova.ey@eksmo.ru**

Оптовая торговля бумажно-беловыми
и канцелярскими товарами для школы и офиса «Канц-Эксмо»:
Компания «Канц-Эксмо»: 142702, Московская обл., Ленинский р-н, г. Видное-2,
Белокаменное ш., д. 1, а/я 5. Тел./факс: +7 (495) 745-28-87 (многоканальный).
e-mail: **kanc@eksmo-sale.ru**, сайт: www.**kanc-eksmo.ru**

Филиал «Торгового Дома «Эксмо» в Нижнем Новгороде
Адрес: 603094, г. Нижний Новгород, улица Карпинского, д. 29, бизнес-парк «Грин Плаза»
Телефон: +7 (831) 216-15-91 (92, 93, 94). E-mail: reception@eksmonn.ru

Филиал ООО «Издательство «Эксмо» в г. Санкт-Петербурге
Адрес: 192029, г. Санкт-Петербург, пр. Обуховской обороны, д. 84, лит. «Е»
Телефон: +7 (812) 365-46-03 / 04.   **E-mail:** server@szko.ru

Филиал ООО «Издательство «Эксмо» в г. Екатеринбурге
Адрес: 620024, г. Екатеринбург, ул. Новинская, д. 2щ
Телефон: +7 (343) 272-72-01 (02/03/04/05/06/08)

Филиал ООО «Издательство «Эксмо» в г. Самаре
Адрес: 443052, г. Самара, пр-т Кирова, д. 75/1, лит. «Е»
Телефон: +7 (846) 207-55-50. **E-mail:** RDC-samara@mail.ru

Филиал ООО «Издательство «Эксмо» в г. Ростове-на-Дону
Адрес: 344023, г. Ростов-на-Дону, ул. Страны Советов, 44А
Телефон: +7(863) 303-62-10.   **E-mail:** info@rnd.eksmo.ru

Филиал ООО «Издательство «Эксмо» в г. Новосибирске
Адрес: 630015, г. Новосибирск, Комбинатский пер., д. 3
Телефон: +7(383) 289-91-42. E-mail: eksmo-nsk@yandex.ru

Обособленное подразделение в г. Хабаровске
Фактический адрес: 680000, г. Хабаровск, ул. Фрунзе, 22, оф. 703
Почтовый адрес: 680020, г. Хабаровск, А/Я 1006
Телефон: (4212) 910-120, 910-211.   **E-mail:** eksmo-khv@mail.ru

Филиал ООО «Издательство «Эксмо» в г. Тюмени
Центр оптово-розничных продаж Cash&Carry в г. Тюмени
Адрес: 625022, г. Тюмень, ул. Пермякова, 1а, 2 этаж. ТЦ «Перестрой-ка»
Ежедневно с 9.00 до 20.00. Телефон: 8 (3452) 21-53-96

Республика Беларусь: ООО «ЭКСМО АСТ Си энд Си»
Центр оптово-розничных продаж Cash&Carry в г. Минске
Адрес: 220014, Республика Беларусь, г. Минск, проспект Жукова, 44, пом. 1-17, ТЦ «Outleto»
Телефон: +375 17 251-40-23; +375 44 581-81-92
Режим работы: с 10.00 до 22.00. **E-mail:** exmoast@yandex.by

Казахстан: «РДЦ Алматы»
Адрес: 050039, г. Алматы, ул. Домбровского, 3А
Телефон: +7 (727) 251-58-12, 251-59-90 (91,92,99). E-mail: RDC-Almaty@eksmo.kz

Украина: ООО «Форс Украина»
Адрес: 04073, г. Киев, ул. Вербовая, 17а
Телефон: +38 (044) 290-99-44, (067) 536-33-22. **E-mail:** sales@forsukraine.com

**Полный ассортимент продукции ООО «Издательство «Эксмо» можно приобрести в книжных
магазинах «Читай-город» и заказать в интернет-магазине: www.chitai-gorod.ru.
Телефон единой справочной службы: 8 (800) 444-8-444. Звонок по России бесплатный.**

ПРИСОЕДИНЯЙТЕСЬ К НАМ!

ISBN 978-5-04-118708-8

МЫ В СОЦСЕТЯХ:

 eksmolive

 eksmo

 eksmolive

 eksmo.ru

 eksmo_live

 eksmo_live

eksmo.ru

В электронном виде книги издательства вы можете
купить на www.litres.ru

ЛитРес:
один клик до книг